Hernandes Dias Lopes

1 TIMÓTEO
O pastor, sua vida e sua obra

© 2014 por Hernandes Dias Lopes

1ª edição: março de 2014
9ª reimpressão: março de 2021

REVISÃO
Andréa Filatro
Josemar de S. Pinto

DIAGRAMAÇÃO
Catia Soderi

CAPA
Claudio Souto (layout)
Equipe Hagnos (adaptação)

EDITOR
Aldo Menezes

COORDENADOR DE PRODUÇÃO
Mauro Terrengui

IMPRESSÃO E ACABAMENTO
Imprensa da Fé

As opiniões, as interpretações e os conceitos emitidos nesta obra são de responsabilidade do autor e não refletem necessariamente o ponto de vista da Hagnos.

Todos os direitos desta edição reservados à
EDITORA HAGNOS LTDA.
Av. Jacinto Júlio, 27
04815-160 — São Paulo, SP
Tel.: (11) 5668-5668

E-mail: hagnos@hagnos.com.br
Home page: www.hagnos.com.br

Dados Internacionais de Catalogação na Publicação (CIP)
Câmara Brasileira do Livro, SP, Brasil

Lopes, Hernandes Dias

1Timóteo: o pastor, sua vida e sua obra / Hernandes Dias Lopes. — São Paulo: Hagnos, 2014. (Comentários Expositivos Hagnos)

ISBN 978-85-7742-129-9

Bibliografia

1. Bíblia NT: Timóteo, 1ª: Crítica e Interpretação 2. Vida Cristã: Ensino Bíblico I. Título

14-00560   CDD- 227.8306

Índices para catálogo sistemático:
1. Timóteo, 1ª: Epístolas Paulinas: Interpretação e Crítica   227.8306

Editora associada à:

Dedicatória

DEDICO ESTE LIVRO ao reverendo José João de Moreira Mesquita e à sua esposa Lucília de Sá, amigos preciosos, servos de Cristo, conselheiros dedicados, exemplos para os fiéis, vasos de honra nas mãos do Senhor.

Sumário

Prefácio — 7

1. Introdução à primeira carta a Timóteo — 11

2. A importância da sã doutrina e o perigo das heresias — 29
   (1Tm 1.1-20)

3. Princípios divinos sobre o culto público — 53
   (1Tm 2.1-15)

4. Os atributos da liderança da igreja — 77
   (1Tm 3.1-16)

5. Fidelidade às Escrituras em tempos de apostasia — 97
   (1Tm 4.1-16)

6. Cuidando de pessoas na igreja — 113
   (1Tm 5.1-25)

7. Instruções pastorais à igreja — 133
   (1Tm 6.1-21)

Prefácio

A PRIMEIRA CARTA de Paulo a Timóteo é um manual divino que orienta a prática pastoral diante dos grandes embates da vida e das tensões da lida ministerial. Como um pastor deve portar-se na igreja de Deus? Como deve lidar com a sedução das falsas doutrinas? Como deve instruir o povo acerca do correto relacionamento com as autoridades constituídas? Como deve enfrentar os falsos mestres que apostatam da fé? Como deve tratar as diferentes pessoas do rebanho? Como deve relacionar-se com os líderes da igreja? Como deve orientar os empregados e os patrões? Como deve exortar os pobres e os ricos da comunidade? Qual é o lugar da oração na vida da igreja?

Como a igreja deve escolher seus líderes espirituais? Quais critérios devem ser observados? Como a igreja deve enfrentar a demanda da assistência social aos necessitados? Esses e outros temas são levantados pelo apóstolo Paulo e abordados de forma normativa.

A epístola, portanto, é atualíssima. Os tempos mudaram, mas o ser humano não mudou. As culturas sofreram variações, mas a Palavra de Deus permanece a mesma. As instruções de Paulo a Timóteo são atemporais, pois se fundamentam em princípios eternos. São balizas seguras que devem nortear a vida espiritual e a conduta pastoral em todas as épocas e lugares.

Esta carta é também assaz oportuna. Os temas aqui abordados continuam a afligir a igreja contemporânea. Os falsos mestres estão espalhados por todos os lados. Seu veneno letal é destilado nas cátedras, nos púlpitos e na literatura. Muitas igrejas capitulam à sedução do liberalismo teológico, colocando a razão humana acima das Escrituras e negando as intervenções sobrenaturais de Deus na história. Outras igrejas rendem-se ao sincretismo religioso, valorizando a experiência acima das Escrituras, relativizando-as e, assim, caindo num misticismo heterodoxo. Existe hoje, do mesmo modo, um profundo desequilíbrio em muitos redutos cristãos. As igrejas que mais se dedicam ao estudo da doutrina são as mais descomprometidas com a oração. As que mais oram são as que menos se interessam pelo estudo da sã doutrina. As igrejas que mais sabem são as que menos fazem, e aquelas que mais fazem são as que menos sabem. Aqueles que têm maior preparo intelectual são os mais desatentos à piedade, e os que mais buscam a piedade são os menos desprovidos de zelo pela verdade. As igrejas que mais se dedicam à ação social descuidam da visão missionária, e as que mais se consagram à evangelização são as mais omissas na assistência aos necessitados.

Não podemos separar o que Deus uniu. Precisamos manter em estreita comunhão teologia e ética, doutrina e vida, credo e conduta. Precisamos ter a mente iluminada pela verdade e o coração aquecido pelo Espírito Santo.

Esta carta é, de fato, absolutamente necessária. Em muitas igrejas hoje, há profunda tensão na liderança. Há líderes que se sentem donos da igreja; e, em vez de serem servos de Cristo para servirem à igreja, são déspotas que governam o povo com desmesurado rigor. Há presbíteros que levam seus pastores a gemerem no ministério, enquanto outros são oprimidos por seus líderes espirituais. Presbíteros são eleitos sem nenhuma maturidade espiritual e ordenados ao sagrado ofício sem nenhuma qualificação para pastorear o rebanho. A igreja é um reflexo de sua liderança. Uma igreja nunca conseguirá estar à frente de sua liderança. Igrejas fortes têm líderes maduros na fé e cheios do Espírito Santo.

Esta carta, finalmente, tem uma mensagem urgente. Se os pastores observarem os princípios exarados nesta missiva apostólica, os problemas que atacam a igreja hoje serão enfrentados com a sabedoria de Deus, à luz das Escrituras. Então, teremos igrejas saudáveis, fortes e multiplicadoras. A minha oração é que este livro seja, portanto, uma ferramenta importante nas mãos de pastores e líderes, de obreiros e crentes fiéis, a fim de que sejamos todos qualificados a pastorear a igreja do Deus vivo, coluna e baluarte da verdade.

Hernandes Dias Lopes

Capítulo 1

Introdução à primeira carta a Timóteo

As epístolas de Paulo a Timóteo e Tito são conhecidas como "cartas pastorais". Essa designação foi dada pela primeira vez por Tomás de Aquino em 1274. Escrevendo acerca de 1Timóteo, o teólogo afirmou: "É como se esta carta fosse uma regra pastoral que o apóstolo deu a Timóteo". Depois, no século XVIII, mais precisamente no ano 1726, o grande erudito Paul Anton, em uma série de palestras, chamou as três cartas de Paulo a Timóteo e Tito de "epístolas pastorais".[1]

William Barclay diz que as cartas pastorais nos dão uma imagem tão vívida da igreja como nenhuma outra carta do Novo Testamento. Nelas podemos ver os problemas de uma igreja que se apresenta como uma pequena ilha de cristianismo cercada por um mar de paganismo.² Essas cartas são extremamente úteis aos obreiros contemporâneos, porque os problemas do passado abordados ali são basicamente os mesmos enfrentados hoje. Os tempos mudam, mas o coração humano é o mesmo. Portanto, as soluções oferecidas por Paulo aos problemas antigos lançam luz sobre os problemas atuais. John Kelly diz acertadamente que as cartas pastorais eram tidas em grande estima pelos cristãos desde os tempos mais antigos até o século XIX, quando uma nuvem de críticos começou a atacar a autoria paulina e sua mensagem.³

As cartas pastorais distinguem-se das demais epístolas escritas por Pedro, Tiago e João, ao se caracterizarem como missivas gerais dirigidas a todas as igrejas, enquanto as últimas se destinavam a obreiros individuais. Também diferem das demais cartas escritas por Paulo endereçadas às igrejas específicas da Galácia, Macedônia, Acaia, Ásia Menor e Roma. E se distinguem ainda da epístola a Filemom, uma carta eminentemente pessoal, enquanto as epístolas pastorais remetidas a Timóteo e Tito têm o propósito precípuo de orientar esses dois ministros a lidarem corretamente com as diferentes demandas da vida eclesiástica.

Nesta parte introdutória, examinaremos o autor da carta, seu destinatário, a época em que o texto foi escrito, os propósitos de sua redação e as principais ênfases teológicas nela contidas.

O autor da epístola

Há robustas evidências internas e externas acerca da autoria paulina desta epístola. Em primeiro lugar, as epístolas de Paulo a Timóteo reivindicam elas próprias a autoria paulina, fato declarado abertamente na saudação de cada carta. E, desde os primórdios da igreja, essas evidências têm sido confirmadas tanto pelos pais da igreja como pelos escolásticos, reformadores e cristãos contemporâneos. Alfred Plummer corrobora essa ideia, dizendo: "As evidências concernentes à aceitação geral da autoria paulina dessas cartas são abundantes e positivas, e vêm desde os tempos antigos".[4]

O *Cânon muratoriano*, datado por volta do ano 170, incluiu as cartas pastorais e as atribui a Paulo. Irineu, no ano 178, citou nominalmente as três epístolas, diversas vezes, em seu *Contra as heresias*. Tertuliano, por volta do ano 200, extraiu várias citações de 1 e 2Timóteo em seu *Prescrição dos hereges*. Clemente de Alexandria, em 194, menciona repetidas vezes as três epístolas como de autoria do apóstolo Paulo. Eusébio, o mais talentoso historiador da igreja do período patrístico, referiu-se às cartas pastorais, por volta do ano 325, como "manifestas e certas".[5]

No século XIX, entretanto, os teólogos liberais colocaram em dúvida essas evidências. Em 1804, a legitimidade de 1Timóteo foi negada por Schmidt. Em 1807, Schleiermacher rejeitou a autenticidade de 1Timóteo com base em 75 palavras que ele não encontrou em nenhum outro ponto do Novo Testamento. Em 1885, H. J. Holtzmann apresentou o que se considera a declaração clássica contra a autoria paulina. A última adição notável à evidência antipaulina foi efetuada por P. N. Harrison em 1921.[6] Desde então, uma torrente de livros segue este viés, questionando e até mesmo negando peremptoriamente a autoria paulina.

J. Glenn Gould esclarece que o ataque à autenticidade das epístolas pastorais é efetivado em, pelo menos, quatro frentes: 1) a dificuldade em ajustá-la à carreira de Paulo conforme nos mostra a literatura do Novo Testamento; 2) a incompatibilidade com a avançada organização das igrejas na época; 3) os temas doutrinários que, conforme se diz, diferem radicalmente dos ensinos presentes nas outras epístolas de Paulo; 4) as supostas diferenças de vocabulário existentes entre as epístolas pastorais e as cartas de Paulo às igrejas.[7] Os ataques são, portanto, de natureza histórica, eclesiástica, doutrinária e linguística. Quanto ao ataque histórico, há evidências abundantes de que Paulo saiu da primeira prisão em Roma, portanto não há nenhum embaraço nos registros contidos nas epístolas pastorais. Quanto ao ataque eclesiástico, desde a primeira viagem missionária, Paulo já constituía presbíteros nas igrejas (At 14.23), da mesma forma que na igreja de Filipos havia presbíteros e diáconos (Fp 1.1). A preocupação de Paulo com as diversas ordens ministeriais é evidente em passagens como Efésios 4.11,12. Quanto ao aspecto doutrinário, afirmamos que o propósito de Paulo nas epístolas pastorais diferia da finalidade das demais cartas. Seu objetivo nessas missivas se concentrava mais na estratégia e na direção, enquanto naquelas tinha caráter mais teológico (Romanos), corretivo (1Coríntios) ou exortativo (1 e 2Tessalonicenses). No que diz respeito ao aspecto linguístico, as diferenças de vocabulário existentes entre as epístolas pastorais e as cartas de Paulo às igrejas são suficientes para enfraquecer a tese de que as epístolas pastorais não são de origem paulina.[8]

A área mais contundente dos críticos reside na autoria paulina. Suas tentativas, porém, não lograram êxito. As supostas evidências apresentadas contra a autoria paulina foram amplamente derrubadas por estudiosos sérios das Escrituras, como Donald Guthrie, E. K. Simpson, J. N. D. Kelly, R. C.

H. Lenski, William Hendriksen, entre tantos outros ilustres eruditos. Donald Guthrie escreve oportunamente: "Se a base da objeção à autoria paulina é tão forte quanto afirmam seus oponentes, deve haver alguma razão para explicar a falta extraordinária de discernimento por parte dos estudiosos no transcurso de um período tão longo".[9]

Para os críticos, a principal dificuldade de aceitar a autoria paulina das cartas pastorais é fazer a correspondência entre os fatos registrados nessas epístolas e o livro de Atos, o qual termina com o relato da primeira prisão de Paulo em Roma. Daí, os críticos deduzem que o martírio de Paulo teria acontecido durante essa prisão. A ideia de que Paulo foi executado durante a primeira prisão em Roma, entrementes, não encontra amparo bíblico ou histórico. Carl Spain ressalta que não há nenhuma evidência de que Paulo tivesse sido executado no final dos dois anos mencionados em Atos 28.30,31. É perfeitamente razoável concluir que ele foi libertado e que sua vida se prolongou a ponto de incluir os acontecimentos mencionados nessas cartas (1Tm 1.3; 2Tm 1.8,16,17; 4.13,20; Tt 1.5; 3.12). É sabido que Paulo alimentou vividamente a expectativa de ser libertado da primeira prisão (Fm 22; Fp 1.12-14,19,20; 2.24).

Além do mais, Lucas inclui várias declarações apontando a inocência de Paulo e um resultado favorável a seu caso (At 23.29; 26.32; 28.21,30,31). Destacamos, ainda, que Paulo demonstrou seu desejo de ir à Espanha após visitar Roma (Rm 15.24,28); e Clemente de Roma, escrevendo a respeito dessa cidade, por volta do ano 96 d.C., diz que Paulo seguiu para o "extremo ocidente", o que é interpretado pela maioria como sendo a Espanha. Na época em que Clemente escreveu sua carta, ainda viviam em Roma cristãos em número suficiente que podiam ter, por experiência pessoal, conhecimento da libertação e das subsequentes viagens de Paulo.[10] O *Cânon muratoriano* confirma a viagem de Paulo à Espanha. Jerônimo repete o mesmo testemunho.[11]

Eusébio, o mais conhecido historiador da igreja primitiva, embora nada registre sobre a Espanha, tinha ciência da soltura de Paulo da primeira prisão em Roma. Leiamos seu relato: "Lucas, que escreveu os Atos dos Apóstolos, terminou sua história dizendo que Paulo viveu dois anos completos em Roma como prisioneiro, e que pregou a Palavra de Deus sem impedimentos. Então, depois de haver feito sua defesa, diz que o apóstolo saiu uma vez mais em seu ministério de pregação, e que, ao retornar à mesma cidade pela segunda vez, sofreu o martírio" (*História eclesiástica, 2, 22.2*).[12]

No século V, dois dos grandes pais da igreja confirmam a existência da viagem de Paulo à Espanha. Crisóstomo, em seu sermão sobre 2Timóteo 4.20, registra: "São Paulo, após sua estada em Roma, partiu para a Espanha". Jerônimo, em seu *Catálogo de escritores,* declara que Paulo "foi solto por Nero para que pregasse o evangelho de Cristo no Ocidente".[13] Fica evidente, portanto, que faltam aos críticos as sandálias da humildade; faltam-lhes os óculos da verdade, pois seus argumentos foram amplamente refutados. Estou de pleno acordo com o que diz John Kelly:

> É extremamente provável que Paulo foi solto da primeira prisão; e, neste caso, temos o direito de inferir que continuou sua obra evangelística até que fosse interrompida por um segundo aprisionamento, desta vez definitivo, na capital. Tal curso de eventos claramente daria amplo espaço para a composição das pastorais, bem como para as atividades subentendidas nelas.[14]

O destinatário da epístola

Paulo escreveu as duas cartas pastorais a Timóteo, quando este era pastor da igreja de Éfeso, capital da Ásia Menor. Nessa época, Éfeso era uma grande metrópole, centro comercial e rota das principais viagens entre o Oriente e o Ocidente. Éfeso hospedava o templo da grande deusa Diana, um palácio de mármore com colunas colossais, considerado uma das sete maravilhas do mundo antigo. A cidade de Éfeso era marcada pela idolatria, e os nichos do templo de Diana aqueciam o comércio da cidade. Caravanas do mundo inteiro passavam por ali, e miniaturas do monumental templo pagão eram levadas como suvenires para todas as partes do mundo.

E quem era Timóteo, o destinatário dessas epístolas? Vamos responder a essa pergunta analisando alguns aspectos de sua vida.

Em primeiro lugar, *quanto à sua família*. Timóteo era natural de Listra, região montanhosa da Licaônia. Filho de pai grego e mãe judia, Timóteo era fruto de um casamento misto. Embora sua mãe e sua avó houvessem tido maior influência em sua formação religiosa, Timóteo não deve ter frequentado a sinagoga, uma vez que não era circuncidado.

Em segundo lugar, *quanto à sua criação*. Timóteo foi influenciado fortemente por sua mãe, Eunice, e por sua avó, Loide. Essas duas mulheres piedosas ensinaram a Timóteo as Sagradas Letras desde a infância. A mesma fé sem fingimento que habitou no coração delas também habitou no coração de Timóteo. Em virtude de seu pai ser grego, quem assumiu a liderança de sua formação espiritual foi sua mãe, auxiliada por sua avó. O caminho para a conversão de Timóteo estava sendo pavimentado desde sua infância.

Em terceiro lugar, *quanto às suas marcas pessoais*. Timóteo tinha três marcas: era jovem, tímido e doente. Essas condições o tornaram um homem sensível e, por vezes, retraído. Encontramos nas epístolas paulinas reiteradas exortações de Paulo encorajando-o, devido à sua tendência ao desânimo.

Em quarto lugar, *quanto ao seu relacionamento com o apóstolo Paulo*. O primeiro contato de Paulo com Timóteo deu-se quando o apóstolo Paulo e Barnabé estavam realizando a primeira viagem missionária na província da Galácia, por volta do ano 45 d.C. É muito provável que Timóteo tenha sido testemunha do apedrejamento do apóstolo Paulo em Listra (2Tm 3.10,11). Embora tenha bebido desde a infância o leite da piedade, tendo sido instruído nas Sagradas Letras desde o alvorecer de sua vida, sua experiência de conversão deu-se através do ministério de Paulo, pois este o chamou repetidas vezes de *meu filho no Senhor* (1.2,18; 2Tm 1.2; 1Co 4.17). De filho na fé, Timóteo tornou-se cooperador, companheiro de viagens e amigo do apóstolo. Charles Erdman esclarece que, desde o começo da segunda viagem missionária, por volta do ano 50 d.C., até a morte de Paulo, no ano 67 d.C., Timóteo foi seu auxiliar, colaborador, companheiro de viagem, confidente, amigo fiel e verdadeiro filho espiritual.[15]

Em quinto lugar, *quanto ao seu trabalho pastoral*. Timóteo foi um grande companheiro de Paulo. Cooperou com Paulo em várias de suas cartas (1 e 2Tessalonicenses, 2Coríntios, Filipenses, Colossenses e Filemom). Talvez tenha sido o amigo mais próximo do apóstolo. Timóteo conheceu Paulo na primeira viagem missionária (At 16.1-3) e tornou-se seu companheiro na segunda e terceira viagens. Juntos viajaram da Ásia para a Europa. Juntos visitaram Filipos, Tessalônica e Bereia. Por um tempo se separaram, mas

Timóteo se reuniu com Paulo em Atenas, de onde regressou com uma mensagem aos tessalonicenses, para logo depois reencontrar-se com o apóstolo em Corinto. Mais adiante seguiram em direção ao oriente, completando a viagem missionária em Jerusalém e Antioquia. Na terceira viagem missionária, nos anos 54-57, Timóteo acompanhou Paulo, e juntos eles passaram três anos em Éfeso. Durante esse período, Timóteo foi enviado em difícil missão a Corinto. Logo depois de seu regresso, visitou a Grécia com Paulo e fez parte do grupo que seguiu com o apóstolo pela última vez a Jerusalém, onde por fim Paulo foi preso. Durante os anos de encarceramento, Timóteo se encontrou com Paulo em Roma; depois da libertação, foi com ele para a Ásia, tendo sido deixado à frente da igreja de Éfeso. Não muito tempo depois, recebeu a primeira carta de Paulo. Quando Paulo já estava preso pela segunda vez em Roma, às vésperas de seu martírio, recebeu a segunda carta do apóstolo com um forte apelo para que fosse vê-lo imediatamente em Roma.[16]

Em sexto lugar, *quanto ao seu compromisso*. Dentre os cooperadores de Paulo, ninguém foi como Timóteo. Ele serviu a Cristo, sua igreja e ao evangelho.

Em Filipenses 2.19-24, Paulo nos oferece uma descrição do compromisso de Timóteo com o evangelho:

Timóteo, o enviado de Paulo (Fp 2.19,23). Timóteo era filho na fé de Paulo (1Tm 1.2), cooperador do apóstolo (Rm 16.21) e seu mensageiro às igrejas (1Ts 3.6; 1Co 4.17; 16.10,11; Fp 2.19). Esteve preso com Paulo em Roma (Fp 1.1; Hb 13.23). Tinha um caráter provado (Fp 2.22) e cuidava dos interesses de Cristo (Fp 2.21) e da igreja de Cristo (Fp 2.20).

Timóteo, um homem singular (Fp 2.20a). Paulo contava com muitos cooperadores, mas Timóteo ocupava um lugar

As autoridades romanas estavam convencidas da inocência de Paulo, e, logo que o apóstolo foi levado a julgamento, acabou sendo libertado. O próprio Paulo tinha ardente expectativa de ser solto, conforme deixa claro em suas cartas aos filipenses e a Filemom. A segunda prisão, porém, foi motivada por motivos políticos. É sabido que Nero colocou fogo em Roma em julho de 64 d.C. Esse incêndio, que começou no dia 18 de julho, só terminou no dia 24.[20] Nesses seis dias e sete noites de incêndio, a cidade foi devastada. Dos quatorze bairros de Roma, dez foram destruídos pelas chamas. Os quatro bairros restantes eram densamente povoados por judeus e cristãos. Isso deu a Nero um álibi: colocar a culpa do incêndio nos cristãos. A partir dessa data, acusados de incendiários, os cristãos foram perseguidos cruelmente. Nesse tempo, faltou madeira para se fazer cruz, tal a quantidade de crentes crucificados em Roma. Nesse período, Paulo estava solto, visitando as igrejas. Deixou Tito em Creta e Timóteo em Éfeso. Mais tarde, foi capturado, talvez em Trôade, quando estava na casa de Carpo.

A segunda prisão ocorreu num tempo diferente, num local diferente e com uma motivação diferente da primeira prisão. Paulo foi lançado em uma masmorra úmida, fria e insalubre, na cidade de Roma, da qual as pessoas saíam leprosas ou eram enviadas para o martírio. Se a primeira prisão aconteceu antes do incêndio de Roma, a segunda prisão se deu depois do incêndio. Se na primeira prisão os judeus eram os acusadores, na segunda prisão foram os próprios romanos que acusaram o apóstolo. Se da primeira prisão Paulo saiu para a quarta viagem missionária, da segunda prisão ele saiu para o martírio. Concluímos este relato com as palavras de W. J. Lowstuter: "Não há razão válida para negar a libertação de Paulo da primeira prisão e não existe prova que a conteste. As epístolas pastorais pressupõem uma libertação".[21]

Timóteo se reuniu com Paulo em Atenas, de onde regressou com uma mensagem aos tessalonicenses, para logo depois reencontrar-se com o apóstolo em Corinto. Mais adiante seguiram em direção ao oriente, completando a viagem missionária em Jerusalém e Antioquia. Na terceira viagem missionária, nos anos 54-57, Timóteo acompanhou Paulo, e juntos eles passaram três anos em Éfeso. Durante esse período, Timóteo foi enviado em difícil missão a Corinto. Logo depois de seu regresso, visitou a Grécia com Paulo e fez parte do grupo que seguiu com o apóstolo pela última vez a Jerusalém, onde por fim Paulo foi preso. Durante os anos de encarceramento, Timóteo se encontrou com Paulo em Roma; depois da libertação, foi com ele para a Ásia, tendo sido deixado à frente da igreja de Éfeso. Não muito tempo depois, recebeu a primeira carta de Paulo. Quando Paulo já estava preso pela segunda vez em Roma, às vésperas de seu martírio, recebeu a segunda carta do apóstolo com um forte apelo para que fosse vê-lo imediatamente em Roma.[16]

Em sexto lugar, *quanto ao seu compromisso*. Dentre os cooperadores de Paulo, ninguém foi como Timóteo. Ele serviu a Cristo, sua igreja e ao evangelho.

Em Filipenses 2.19-24, Paulo nos oferece uma descrição do compromisso de Timóteo com o evangelho:

Timóteo, o enviado de Paulo (Fp 2.19,23). Timóteo era filho na fé de Paulo (1Tm 1.2), cooperador do apóstolo (Rm 16.21) e seu mensageiro às igrejas (1Ts 3.6; 1Co 4.17; 16.10,11; Fp 2.19). Esteve preso com Paulo em Roma (Fp 1.1; Hb 13.23). Tinha um caráter provado (Fp 2.22) e cuidava dos interesses de Cristo (Fp 2.21) e da igreja de Cristo (Fp 2.20).

Timóteo, um homem singular (Fp 2.20a). Paulo contava com muitos cooperadores, mas Timóteo ocupava um lugar especial no coração do velho apóstolo. Ele era um homem singular por sua obediência e submissão a Cristo e ao apóstolo, como um filho atende ao chamado de um pai. A palavra grega que Paulo usa para *igual sentimento* só aparece aqui em todo o Novo Testamento.[17] É a palavra *isopsychos*, que significa "da mesma alma". Esse termo foi usado no Antigo Testamento como "meu igual" e "meu íntimo amigo" (LXX Sl 55.13). F. F. Bruce diz que o grande Erasmo parafraseia esta passagem assim: "Eu o enviarei como o meu *alter ego*".[18]

Timóteo, um homem que cuida dos interesses dos outros (Fp 2.20b). Timóteo aprendeu com Paulo a buscar os interesses dos outros (Fp 2.4), princípio exemplificado por Cristo (Fp 2.5) e pelo próprio apóstolo (Fp 2.17). Timóteo de igual modo vive de forma altruísta, pois o centro de sua atenção não está em si mesmo, mas na igreja de Deus. Ele não busca riqueza nem promoção pessoal. Não está no ministério em busca de vantagens, mas tem um alvo: cuidar dos interesses da igreja.

Timóteo, um homem que cuida dos interesses de Cristo (Fp 2.21). Só existem dois estilos de vida: viver para si mesmo (Fp 2.21) ou viver para Cristo (Fp 1.21). Ou estamos em Filipenses 1.21 ou em Filipenses 2.21. Timóteo queria cuidar dos interesses de Cristo, e não dos seus. Sua vida estava centrada em Cristo (Fp 2.21) e nos irmãos (Fp 2.20b), e não em seu eu (Fp 2.21).

Timóteo, um homem de caráter provado (Fp 2.22). Timóteo tinha bom testemunho antes de ser missionário (At 16.1,2) e agora, quando Paulo está prestes a lhe passar o bastão de continuador da sua obra, testemunha que ele continua tendo um caráter provado (Fp 2.22). É lamentável que muitos líderes religiosos que se apresentam grandes em fama e riqueza sejam anões no caráter. Vivemos uma crise avassaladora de integridade no meio evangélico brasileiro. Precisamos urgentemente de homens íntegros, provados, que sejam modelos para o rebanho.

Timóteo, um homem disposto a servir (Fp 2.22b). É digno de nota que Timóteo serviu ao evangelho. Ele serviu com Paulo, e não a Paulo. Embora a relação entre Paulo e Timóteo fosse de pai e filho, ambos estavam engajados no mesmo projeto. Hoje, muitos líderes se colocam acima de seus colaboradores. Esse tipo de relação não é de parceria no trabalho, mas de subserviência pessoal.

Em sétimo lugar, *quanto ao seu ministério*. Paulo fechou as cortinas do seu ministério quando foi executado em Roma, nos idos de 67 d.C. Timóteo, porém, continuou seu trabalho como pastor da igreja de Éfeso. Segundo a tradição eclesiástica, Timóteo foi bispo de Éfeso e sofreu o martírio no ano 97 d.C., sob o imperador Nerva.[19]

A época em que a epístola foi escrita

Paulo escreveu a primeira carta a Timóteo no interregno da sua primeira e segunda prisões em Roma, por volta do ano 63 d.C. E escreveu a segunda carta durante sua segunda prisão em Roma, pouco antes de seu martírio em 67 d.C. Os críticos que negam a autoria paulina afirmam que os relatos descritos nessas duas missivas não se encaixam no registro de Atos. Segundo esses críticos, Paulo foi martirizado ao fim da primeira prisão. No entanto, há fortes indícios de que Paulo tenha sido solto depois de dois anos da primeira prisão e, após essa soltura, tenha realizado sua quarta viagem missionária, chegando inclusive à Espanha.

A primeira prisão em Roma foi domiciliar (At 28.30), por volta do ano 61 d.C. a 63 d.C. Nessa ocasião, a acusação contra Paulo, feita pelos judeus, era eminentemente religiosa.

As autoridades romanas estavam convencidas da inocência de Paulo, e, logo que o apóstolo foi levado a julgamento, acabou sendo libertado. O próprio Paulo tinha ardente expectativa de ser solto, conforme deixa claro em suas cartas aos filipenses e a Filemom. A segunda prisão, porém, foi motivada por motivos políticos. É sabido que Nero colocou fogo em Roma em julho de 64 d.C. Esse incêndio, que começou no dia 18 de julho, só terminou no dia 24.[20] Nesses seis dias e sete noites de incêndio, a cidade foi devastada. Dos quatorze bairros de Roma, dez foram destruídos pelas chamas. Os quatro bairros restantes eram densamente povoados por judeus e cristãos. Isso deu a Nero um álibi: colocar a culpa do incêndio nos cristãos. A partir dessa data, acusados de incendiários, os cristãos foram perseguidos cruelmente. Nesse tempo, faltou madeira para se fazer cruz, tal a quantidade de crentes crucificados em Roma. Nesse período, Paulo estava solto, visitando as igrejas. Deixou Tito em Creta e Timóteo em Éfeso. Mais tarde, foi capturado, talvez em Trôade, quando estava na casa de Carpo.

A segunda prisão ocorreu num tempo diferente, num local diferente e com uma motivação diferente da primeira prisão. Paulo foi lançado em uma masmorra úmida, fria e insalubre, na cidade de Roma, da qual as pessoas saíam leprosas ou eram enviadas para o martírio. Se a primeira prisão aconteceu antes do incêndio de Roma, a segunda prisão se deu depois do incêndio. Se na primeira prisão os judeus eram os acusadores, na segunda prisão foram os próprios romanos que acusaram o apóstolo. Se da primeira prisão Paulo saiu para a quarta viagem missionária, da segunda prisão ele saiu para o martírio. Concluímos este relato com as palavras de W. J. Lowstuter: "Não há razão válida para negar a libertação de Paulo da primeira prisão e não existe prova que a conteste. As epístolas pastorais pressupõem uma libertação".[21]

Os propósitos da epístola

Paulo tinha alguns propósitos em vista ao escrever essas duas cartas. Charles Erdman explica que o conteúdo básico das epístolas pastorais consiste no direcionamento aos ministros com respeito à organização, à doutrina e à vida da igreja cristã. Na primeira carta a Timóteo, o tema básico é a organização da igreja; na segunda carta, Paulo insiste na pureza da doutrina; já a carta a Tito trata do desenvolvimento de uma vida cristã responsável. O governo da igreja não é um fim em si mesmo; só vale se for garantia de pureza da doutrina; e a doutrina só vale se afetar a vida.²²

Destacamos a seguir alguns propósitos específicos da primeira carta a Timóteo, a epístola em apreço.

Combater os falsos mestres e suas falsas doutrinas

O ministro do evangelho deve pregar a verdade e também combater a mentira. Deve anunciar a sã doutrina e também reprovar as falsas doutrinas. Deve eleger presbíteros e diáconos, verdadeiros obreiros para cuidarem da igreja de Deus, e também combater os falsos mestres. Timóteo precisa combater esses falsos mestres por meio da pureza da doutrina, que seria a garantia de uma vida santa. John Kelly diz com razão que nas três cartas Paulo está grandemente preocupado com os hereges, conforme os considera, os quais mercadejam uma mensagem distinta, oposta ao evangelho verdadeiro, semeando contendas e dissensão e levando uma vida moralmente questionável.²³

Qual é esta *outra doutrina* (1.3) que Paulo tanto teme e que já causou a queda espiritual de homens como Himeneu e Alexandre (1.19,20)? Seus expoentes professam ser *mestres da lei* (1.7). Um grupo deles era chamado de *os da circuncisão* (Tt 1.10). Dedicavam-se a disputas acerca da lei (Tt 3.9). Estavam muito ocupados com *fábulas e genealogias* (1.4), conhecidas também como *fábulas judaicas* (Tt 1.14). Negavam a criação (4.3-5) e a ressurreição (2Tm 2.18). Jactavam-se de possuírem uma gnose superior (6.20). Provavelmente chegavam a praticar a magia (2Tm 3.8,13). Por causa do seu colorido gnóstico, diz John Kelly, muitos identificam esse falso ensino com o gnosticismo plenamente desenvolvido contra o qual a igreja veio a lutar em meados do século II.[24]

Quais eram as características dessa heresia que estava atacando a igreja? William Barclay nos dá algumas pistas, que comentamos a seguir.[25]

Intelectualismo especulativo. A característica mais óbvia da heresia é sua combinação de ingredientes judaicos e gnósticos.[26] Mesmo em sua fase embrionária, o gnosticismo fazia uma junção espúria da filosofia grega com o judaísmo. O resultado dessa aliança heterodoxa foi um pseudointelectualismo que afirmava ser a salvação privilégio de uns poucos iluminados, que a alcançavam por meio de um conhecimento esotérico (1.4; 6.20; 2Tm 6.4; Tt 3.9). Paulo refuta essas ideias mostrando que a salvação é oferecida a todos (2.4) e que a graça de Deus se manifestou salvadora a todos os homens (Tt 2.11).

Soberba arrogante. Os hereges eram extremamente vaidosos, embora nada entendessem do que pregavam (6.4). A arrogância sempre é uma marca dos falsos mestres. Eles se colocam acima das outras pessoas e da revelação do próprio Deus.

Ascetismo rigoroso. Os hereges estabeleciam regras pesadas com respeito à comida e ao sexo, a ponto de proibirem o casamento (4.1-5). Enumeravam muitas coisas impuras, esquecendo-se de que todas as coisas são puras para os puros (Tt 1.15).

Imoralidade desbragada. O gnosticismo oscilava entre dois extremos: ascetismo de um lado e licenciosidade de outro. Por considerarem a matéria essencialmente má, negavam a criação, a encarnação e a ressurreição. Ora afirmavam que devemos privar o corpo de qualquer prazer, caindo no ascetismo; ora declaravam que tudo o que fazemos com o corpo não tem nenhum valor ou importância, caindo então nas malhas da imoralidade. Os falsos mestres eram cheios de luxúria (2Tm 4.3), chegando ao extremo de entrarem nas casas para seduzir mulheres débeis na conduta (2Tm 3.6).

Ganância insaciável. Os falsos mestres usavam a religião para se locupletarem. Estavam interessados nos bens materiais das pessoas, e não em seu bem-estar (6.5; Tt 1.11). Ainda hoje, muitos obreiros mercadejam a Palavra. Fazem da igreja uma empresa, do púlpito um balcão, do evangelho um produto, dos crentes meros consumidores, do templo uma praça de negócios, e do ofício sagrado uma fonte de lucro.

Legalismo extremado. Os falsos mestres procediam das alas do judaísmo. Sua heresia estava vinculada ao legalismo judeu. Entre seus devotos encontravam-se os que pertenciam à circuncisão (Tt 1.10). A finalidade dos hereges era a de serem mestres da lei (1.7). Eles procuravam inculcar nas pessoas fábulas judaicas e mandamentos de homens (Tt 1.14).

Oferecer recomendações práticas para a vida na igreja

Cabe ao ministro do evangelho pregar a verdade, anunciar a sã doutrina e eleger obreiros para cuidarem da igreja de Deus. Paulo oferece recomendações relacionadas a essas tarefas ministeriais no que tange às práticas para a vida na igreja. Vejamos alguns pontos destacados por William Barclay a seguir.[27]

Orientar a condução do culto público. Paulo dá a Timóteo prescrições claras acerca do culto público. Orienta como os homens devem orar e como as mulheres devem se portar tanto em termos do vestuário utilizado como das palavras proferidas (2.1-14).

Estabelecer critérios para a eleição de oficiais. Paulo normatiza os critérios para a eleição de oficiais, presbíteros e diáconos, oferecendo uma lista de predicados que essas pessoas deveriam ter para ocupar os ofícios sagrados (3.1-13). Paulo ofereceu instruções especiais acerca da eleição, ordenação e disciplina de cada oficial. Vale destacar que Paulo dá mais ênfase às virtudes morais e familiares como requisitos para o oficialato.

Orientar o relacionamento pastoral com as ovelhas. Paulo ensina a Timóteo como tratar os homens e mulheres mais velhos, como tratar as pessoas da mesma idade e como lidar com as pessoas mais novas dentro da igreja.

Ensinar a forma correta de o pastor agir na igreja. Paulo entendia que a igreja de Deus é a coluna e o baluarte da verdade num mundo de relativismo. O pastor precisa saber, com clareza, como se comportar na igreja (3.15). Calvino diz, porém, que esta epístola foi escrita mais por causa de outros do que de Timóteo, o líder pastoral, uma vez que muitas coisas precisavam ser ajustadas na igreja de Éfeso e necessitavam de sua orientação apostólica.[28]

Normatizar a assistência social às viúvas. A igreja de Deus associa a proclamação do evangelho com a ação social. As viúvas precisavam ser assistidas pela igreja, mas deveria haver critérios claros para essa assistência.

Corrigir aqueles que fazem a obra de Deus visando ao lucro. Desde os dias de Paulo, já existiam obreiros que mercadejavam a Palavra de Deus, visando não o bem do rebanho, mas o lucro pessoal. O apóstolo é direto na condenação dessa prática, a ponto de talhar nesta carta a conhecida declaração: *O amor ao dinheiro é a raiz de todos os males* (6.10).

As principais ênfases teológicas da epístola

Os críticos acusam as epístolas pastorais de serem deuteropaulinas, ou seja, de terem sido escritas por seguidores de Paulo usando seu nome.

Uma das razões para essa alegação é que algumas das verdades essenciais da fé cristã – como a cruz de Cristo, a união com Cristo e o Espírito Santo –, as quais são enfatizadas por Paulo em suas outras cartas, estão ausentes dessas epístolas.

No entanto, é mister destacar que as grandes verdades da fé cristã ensinadas nas outras cartas paulinas – como a doutrina da criação, do pecado e da redenção, a mediação de Cristo, a santificação, a glorificação – estão presentes também nesta missiva.

NOTAS DO CAPÍTULO 1

[1] SPAIN, Carl. *Epístolas de Paulo a Timóteo e Tito.* São Paulo: Vida Cristã, 1980, p. 7.

[2] BARCLAY, William. *I y II Timoteo, Tito y Filemon.* Buenos Aires: La Aurora, 1974, p. 6.

³ KELLY, John N. D. *I e II Timóteo e Tito: introdução e comentário*. São Paulo: Vida Nova, 1999, p. 11-12.
⁴ PLUMMER, Alfred. "The Pastoral Epistles". In: *The Expositor's Bible*. New York: A. C. Armstrong & Son, 1889, p. 5.
⁵ SPAIN, Carl. *Epístolas de Paulo a Timóteo e Tito*, p. 9.
⁶ Ibid.,
⁷ GOULD, J. Glenn. "As epístolas pastorais". In: *Comentário bíblico Beacon*. Vol. 9. Rio de Janeiro: CPAD, 2006, p. 440.
⁸ Ibid., p.440-443.
⁹ GUTHRIE, Donald. *New Testament Introduction: The Pauline Epistles*. Chicago: InterVarsity Press, 1961, p. 202.
¹⁰ BÜRKI, Hans. "Cartas a Timóteo". In: *Cartas aos Tessalonicenses, Timóteo, Tito e Filemom*. Curitiba: Esperança, 2007, p. 165.
¹¹ SPAIN, Carl. *Epístolas de Paulo a Timóteo e Tito*, p. 11.
¹² BARCLAY, William. *I y II Timoteo, Tito y Filemon*, p. 19.
¹³ Ibid., p. 20.
¹⁴ KELLY, John N. D. *I e II Timóteo e Tito: introdução e comentário*, p. 17.
¹⁵ ERDMAN, Charles. *Las epístolas pastorales a Timoteo y a Tito*. Grand Rapids: TELL, 1976, p. 12.
¹⁶ ERDMAN, Charles. *Las epístolas pastorales a Timoteo y a Tito*, p. 12.
¹⁷ MOTYER, J. A. *The Message of Philippians*. Chicago: InterVarsity Press, 1991, p. 139.
¹⁸ BRUCE, F. F. *Filipenses*. São Paulo, Vida Nova, 1992, p. 103.
¹⁹ BÜRKI, Hans. "Cartas a Timóteo". In: *Cartas aos Tessalonicenses, Timóteo, Tito e Filemom*, p. 167.
²⁰ Ibid., p. 164.
²¹ LOWSTUTER, W. J. *The Pastoral Epistles: First and Second Timothy and Titus*. Nova York: Abingdon-Cokesbury Press, 1929, p. 1275.
²² ERDMAN, Charles. *Las epístolas pastorales a Timoteo y a Tito*, p. 7.
²³ KELLY, John N. D. *I e II Timóteo e Tito: introdução e comentário*, p. 18.
²⁴ Ibid., p. 19.
²⁵ BARCLAY, William. *I y II Timoteo, Tito y Filemon*, p. 13-14.
²⁶ KELLY, John N. D. *I e II Timóteo e Tito: introdução e comentário*, p. 18.
²⁷ BARCLAY, William. *I y II Timoteo, Tito y Filemon*, p. 13-14.
²⁸ CALVINO, Juan. *Comentarios a las epístolas pastorales de San Pablo*. Grand Rapids: TELL, 1948, p. 19.

Capítulo 2

A importância da sã doutrina e o perigo das heresias
(1Tm 1.1-20)

A PRIMEIRA CARTA a Timóteo é a maior carta pastoral de Paulo. Após sua primeira prisão em Roma, enquanto percorria as igrejas, o apóstolo deixou Timóteo em Éfeso, onde se havia estabelecido por três anos, durante a terceira viagem missionária.

Éfeso era a maior metrópole e capital da Ásia Menor. Cidade marcada por um forte misticismo e ostensiva idolatria, Éfeso hospedava uma das sete maravilhas do mundo antigo, o templo da deusa Diana. A suntuosidade do templo de Diana atraía pessoas do mundo inteiro que aqueciam o comércio da cidade. Toda a cidade se dedicava à adoração de Diana, deusa dos instintos sexuais. Sua imagem lasciva ajudava a promover os mais variados tipos de imoralidade sexual.¹

Nessa cidade, Paulo enfrentou feras e lutas maiores do que suas forças, mas experimentou também um poderoso reavivamento espiritual. As pessoas se convertiam em massa e vinham publicamente denunciar suas obras. Queimavam seus livros de ocultismo em praça pública, e dessa forma a Palavra de Deus prevalecia na cidade.

A igreja de Éfeso tornou-se estratégica. A partir dali, o evangelho irradiou-se por toda a Ásia. Outras igrejas foram plantadas na região, como Colossos, Hierápolis e Laodiceia, Pérgamo, Tiatira, Sardes e Filadélfia. Durante os anos em que passou na cidade, na companhia de Timóteo, Paulo exortou a liderança noite e dia a permanecer firme na fé. Mesmo com lágrimas por causa da perseguição implacável dos judeus enciumados, o apóstolo permaneceu inabalável em seu pastoreio.

Quando se despedia dos presbíteros da igreja de Éfeso, Paulo os alertou de serem vigilantes a respeito dos falsos mestres. Esses lobos travestidos de ovelhas tentariam penetrar no meio do rebanho para destruí-lo, e pessoas seduzidas pelas falsas doutrinas levantar-se-iam dentro da própria igreja para arrastar as ovelhas de Cristo.

Cerca de cinco anos depois, Paulo volta a Éfeso e deixa ali Timóteo a fim de combater os falsos mestres que já haviam chegado. Ao longo desta epístola, estudaremos as orientações do veterano apóstolo ao jovem pastor Timóteo e como ele deveria portar-se na igreja de Deus, coluna e baluarte da verdade.

O remetente da carta (1.1)

As cartas antigas apresentavam o nome do remetente, do destinatário e uma saudação, antes do corpo da missiva. Paulo não foge a esse modelo: *Paulo, apóstolo de Cristo Jesus, pelo mandato de Deus, nosso Salvador, e de Cristo Jesus, nossa esperança* (1.1).

Paulo se apresenta como apóstolo de Jesus Cristo, por mandato de Deus, porque esta carta, embora enviada a Timóteo, destinava-se a toda a igreja. Por esse motivo, Paulo faz questão de acentuar a autoridade de seu apostolado. Um apóstolo é alguém chamado e comissionado por Jesus. Paulo não se autointitula apóstolo nem mesmo é escolhido apóstolo pela igreja. Recebe seu chamado e comissionamento direto de Jesus. Hans Bürki tem razão em dizer que Paulo não é apóstolo nem por autorização humana, nem foi instalado como apóstolo por um ser humano, nem houve uma resolução pessoal no começo de sua vocação.

Separado pelo próprio Deus e chamado como os profetas, Paulo foi autorizado por Jesus Cristo e enviado como os Doze.[2] É apóstolo não por mandato humano, mas por mandato divino. Não é um voluntário, mas um embaixador. Não fala de moto próprio, mas por ordem vinda dos céus. O mesmo Deus que o salvou também o constituiu apóstolo. Guillermo Hendriksen explica que um apóstolo é alguém revestido com a autoridade daquele que o enviou, e essa autoridade tem que ver com a doutrina e com a vida.[3] Cinco são as características encontradas dos apóstolos nas Escrituras.[4]

Primeiro, os apóstolos haviam sido escolhidos, chamados e enviados pelo próprio Senhor Jesus. Haviam recebido a comissão diretamente do Mestre (Jo 6.70; 13.18; 15.16,19; Gl 1.6).

Segundo, Jesus mesmo preparou os apóstolos para a sua tarefa, tendo sido eles testemunhas presenciais de suas palavras e obras; especificamente, foram testemunhas de sua ressurreição (At 1.8,22; 1Co 9.1; 15.8; Gl 1.12; Ef 3.2-8; 1Jo 1.1-3).

Terceiro, os apóstolos haviam sido dotados do Espírito Santo com uma medida especial, sendo guiados pelo próprio Espírito a toda a verdade (Mt 10.20; Jo 14.26; 15.26; 16.7-14; 20.22; 1Co 2.10-13; 7.40; 1Ts 4.8).

Quarto, Deus abençoa a obra dos apóstolos, confirmando-a, por meio de sinais e milagres, dando-lhes muitos frutos do seu labor (Mt 10.1,8; At 2.43; 3.2; 5.12-16; Rm 15.18,19; 1Co 9.2; 2Co 12.12; Gl 2.8).

Quinto, o ofício não está restrito a uma igreja local nem se estende a um breve período; pelo contrário, destina-se a toda a igreja e é vitalício (At 26.16-18; 2Tm 4.7,8).

Paulo apresenta Deus como nosso Salvador. Embora essa expressão seja mais comumente empregada para descrever Cristo, está plenamente amparada pelo ensino geral das Escrituras (Dt 32.15; Lc 1.46,47). Deus nos amou e nos enviou seu Filho (Jo 3.16); Deus não poupou seu Filho e o entregou por nós (Rm 8.32); Deus nos abençoou com toda sorte de bênção espiritual (Ef 1.3). A presciência, a predestinação, o chamamento, a justificação e a glorificação são atribuídos a Deus Pai (Rm 8.29,30).

Paulo também apresenta Jesus como nossa esperança. Jesus é a fonte e o objeto da nossa esperança. A presença de Jesus em nós é a nossa esperança de glória (Cl 1.27). Deus é a fonte da nossa salvação, e Jesus é a consumação da nossa salvação. Quando Paulo fala sobre Deus Pai, olha para trás e vê Deus como aquele que planejou a nossa salvação. Quando fala sobre Deus Filho, olha para a frente como aquele que consumará a nossa redenção.

O destinatário da carta (1.2a)

Paulo chama Timóteo de *verdadeiro filho na fé* (1.2a). Na introdução desta obra, tratamos detalhadamente de Timóteo.

Embora esse jovem pastor tivesse bebido o leite da piedade desde a infância, tendo sido instruído por sua mãe e avó materna, converteu-se a Cristo por intermédio do ministério de Paulo, quando de sua primeira viagem missionária.

Todo que recebe Cristo torna-se filho de Deus (Jo 1.12). Os filhos são aqueles que nascem da água e do Espírito. Nascem de novo e tornam-se novas criaturas. Desde a conversão, Timóteo passou a ser reconhecido como um homem de bom testemunho tanto dentro como fora de sua cidade natal. Isso levou Paulo a convidá-lo a fazer parte de sua caravana missionária desde a segunda viagem na Macedônia e Acaia e na terceira viagem na Ásia Menor.

Timóteo tornou-se companheiro de viagem, cooperador e amigo do apóstolo. Um verdadeiro filho na fé, alguém em quem Paulo podia confiar. Concordo com Hendriksen quando ele diz que a designação *filho* atribuída a Timóteo foi muito feliz, porque combina duas ideias: "eu te gerei" e "és muito amado".[5]

A saudação apostólica (1.2b)

Somente nas duas cartas a Timóteo o apóstolo Paulo usou a tríade de palavras *graça, misericórdia e paz* em suas saudações. Graça é quando Deus nos dá o que não merecemos; misericórdia é quando Deus não nos dá o que merecemos; e paz é o resultado tanto da graça como da misericórdia.

A graça se opõe à ideia de que Deus tem alguma dívida com o homem. A graça se opõe à ideia de que a salvação é conquistada pelo homem. A graça se opõe à ideia de qualquer merecimento.

Desprovidos de qualquer merecimento, recebemos graça. Merecedores do juízo divino, recebemos misericórdia. Uma vez que recebemos tanto graça quanto misericórdia, temos paz com Deus.

A paz é a antítese de toda espécie de conflito, guerra ou incômodo, seja de inimizade exterior ou confusão interior.[6] A graça e a misericórdia são a fonte, e a paz as águas que fluem dessa fonte. O que foi quebrado e arruinado pelo pecado é restaurado pela graça e misericórdia. A paz é realidade e o sentimento resultante da reconciliação com Deus, da plenitude de alegria e da segurança inabalável.

Hendriksen faz uma oportuna distinção entre graça e misericórdia:

> A maneira geral de distinguir entre graça e misericórdia é dizer que a graça perdoa, enquanto a misericórdia sente compaixão; a graça é o amor de Deus para o culpado, a misericórdia é seu amor para o infeliz, digno de lástima; a graça tem que ver com o estado, a misericórdia com a condição.[7]

Graça, misericórdia e paz nos vêm da parte de Deus Pai e de Cristo Jesus, nosso Senhor. Diante dos profundos embates que Timóteo enfrentaria em Éfeso, Paulo roga sobre ele essas bênçãos especiais da parte de Deus Pai e de Cristo Jesus.

A ameaça dos falsos mestres (1.3-7)

Os críticos rejeitam a autoria paulina desta carta porque não conseguem encaixar os acontecimentos aqui registrados no livro de Atos, supondo que Paulo foi martirizado ao final de sua primeira prisão em Roma. Nossa convicção, entretanto, conforme enfatizamos na introdução desta obra, é que Paulo saiu de sua primeira prisão, como era sua expectativa, e, no interregno da primeira e segunda prisões em Roma, é que Paulo, viajando para a Macedônia, rogou a Timóteo que permanecesse em Éfeso para admoestar certas pessoas que estavam ensinando doutrinas falsas (1.3).

Neste primeiro capítulo, o apóstolo fala sobre três responsabilidades do ministro: ensinar a sã doutrina (1.1-11), proclamar o evangelho (1.12-17) e defender a sã doutrina (1.18-20).[8]

Destacamos a seguir alguns pontos importantes.

Em primeiro lugar, *a missão de Timóteo*. – *Quando eu estava de viagem, rumo da Macedônia, te roguei permanecesses ainda em Éfeso para admoestares a certas pessoas, a fim de que não ensinem outra doutrina* (1.3). A igreja de Éfeso estava ameaçada por falsas doutrinas e corria sérios riscos em virtude da infiltração de perigosas heresias. Timóteo precisava admoestar as pessoas que se haviam infiltrado na igreja para pregar uma mensagem heterodoxa.

A sã doutrina é absoluta e não admite que outro evangelho seja pregado. Nada é mais nocivo para a saúde espiritual da igreja do que as falsas doutrinas. Ninguém é mais perigoso para a igreja do que os falsos mestres. Hendriksen alerta sobre o fato de algumas pessoas estarem sempre ansiosas para receber de bom grado tudo o que é novo e diferente, como os atenienses na época de Paulo (At 17.21). Geralmente, o que eles consideram "novo" é heresia antiga, vestida com roupagens modernas.[9]

Vivemos hoje a época conhecida como pós-modernidade. A pós-modernidade está construída sobre o tripé da pluralização, da privatização e da secularização. John Stott aponta como um dos princípios centrais do "pós-modernismo" a inexistência de uma verdade objetiva, muito menos de uma verdade universal e eterna. Pelo contrário, cada pessoa tem a sua própria verdade; você tem a sua, eu tenho a minha, e as nossas verdades podem divergir totalmente umas das outras e até mesmo contradizer-se. Consequentemente, a virtude mais apreciada é a tolerância, uma qualidade que tudo tolera, exceto a intolerância daqueles que defendem que certas ideias são verdadeiras, e outras, falsas; que certas práticas são boas, e outras, más.[10]

Em segundo lugar, *o conteúdo da falsa doutrina*. – ... *a fim de que não ensinem outra doutrina* (1.3b). Uma falsa doutrina pode ser a negação de uma verdade da fé cristã ou mesmo uma adição a ela.[11]

Que doutrina seria essa que se infiltrava na igreja por intermédio de certas pessoas? O texto deixa claro que havia um pano de fundo judaico, pois Paulo menciona *fábulas e genealogias sem fim* (1.4) e acrescenta que esses falsos mestres pretendiam passar por *mestres da lei* (1.7). A expressão *fábulas e genealogias* é una. Não deve ser dividida, como se Paulo estivesse pensando nos mitos por um lado e nas genealogias por outro. Indubitavelmente, o apóstolo se refere a suplementos à lei de Deus de confecção humana (1.7), meros mitos ou fábulas (2Tm 4.4) e contos de velhas (4.7) que tinham um caráter definitivamente judaico (Tt 1.14).[12]

Mas há fortes indícios de que Paulo também se referisse a uma heresia de cunho gnóstico, pois o texto menciona a "loquacidade frívola" (1.6) e *o abandono da fé e da boa consciência* (1.19).

O gnosticismo era na verdade uma mistura de elementos do judaísmo com a filosofia grega. O resultado desse amálgama produziu uma das mais avassaladoras heresias que atingiu a igreja no século II. Tal heresia, pelo menos de forma embrionária, foi combatida vigorosamente na carta de Paulo aos Colossenses e no evangelho de João.

William Barclay lança luz sobre a questão do gnosticismo ao afirmar que essa heresia era completamente especulativa: O movimento começava abordando os problemas da origem do mal, do pecado e do sofrimento. De onde provém tudo isso? Se Deus é totalmente bom, não poderia ter criado o mal. Como, então, o mal entrou no mundo?

A resposta gnóstica é que o mundo não surgiu do nada, pois a matéria é eterna. A matéria é também má, imperfeita e maligna, e o mundo foi criado dessa matéria. Com essas ilações é que se explicavam o pecado, o sofrimento e a imperfeição deste mundo. De acordo com o pensamento gnóstico, se Deus é essencialmente bom e a matéria é essencialmente má, então Deus não pode ter tocado nem moldado essa matéria. O que Deus fez então? Lançou uma emanação, *eon*, e esta deu lugar a outra, e esta a mais outra, e assim sucessivamente, até chegar uma emanação que estava tão longe de Deus que pôde tocar a matéria e manipulá-la. Dessa forma, foi essa emanação – e não Deus – que criou o Universo.

De acordo com os gnósticos, essas emanações conheciam cada vez menos Deus e acabaram tornando-se hostis a ele. A conclusão dos gnósticos é que o deus que havia criado o mundo ignorava o Deus real e verdadeiro e era completamente hostil a ele. Mais tarde, os gnósticos foram ainda mais longe, ao considerar o Deus do Antigo Testamento o Deus criador, ignorante e hostil, e o Deus do Novo Testamento o Deus verdadeiro e real. Os gnósticos criaram, assim, uma complicada mitologia de deuses e emanações, cada um com sua história, biografia e genealogia. Para os gnósticos, Jesus era a maior das emanações, aquele que estava mais perto de Deus. O gnosticismo tornou-se finalmente esnobe, pois somente uma aristocracia intelectual poderia penetrar nessas muitas lucubrações que derivaram.[13]

O problema do gnosticismo não era apenas intelectual, mas também ético. O movimento desembocou em duas posturas perigosas: 1) *o ascetismo:* se a matéria é má, o corpo também o é. Logo, o corpo deve ser subjugado, desprezado e oprimido. Os gnósticos criaram então leis austeras proibindo alimentos e até mesmo o casamento (4.3). 2) *a licenciosidade:* se o corpo é mau, diziam os gnósticos, o que fazemos com ele não importa; o que importa é o espírito. Assim, é permitido que o homem sacie todos os seus impulsos e apetites. Desta forma, o gnosticismo terminou em imoralidade (2Tm 3.6; Tt 1.16).

Em terceiro lugar, *as características da falsa doutrina.* – *Nem se ocupem com fábulas e genealogias sem fim, que, antes, promovem discussões do que o serviço de Deus, na fé* [...]. *Desviando-se algumas pessoas destas coisas, perderam-se em loquacidade frívola, pretendendo passar por mestres da lei, não compreendendo, todavia, nem o que dizem, nem os assuntos sobre os quais fazem ousadas asseverações* (1.4,6,7).

Paulo dá algumas pistas sobre as características dessa falsa doutrina. No versículo 4, o apóstolo menciona *fábulas* e *genealogias.* A forma como essa doutrina aborda a lei é oposta ao que o evangelho requer. Ela leva a errar o alvo e conduz as pessoas para longe da verdade do evangelho. Não edifica, não promove, mas destrói. Isso pode, durante muito tempo, passar despercebido tanto a iniciantes quanto a ouvintes e adeptos. O efeito destrutivo é secreto e sorrateiro, expandindo-se lentamente como uma infecção cancerosa. Por isso, é preciso enfrentar essa doutrina abertamente e com a autoridade do Senhor.[14]

Outra característica da falsa doutrina é que ela provoca inúmeras discussões. As pessoas deleitam-se em travar debates e mais debates, provocando discórdias em torno de palavras. John Stott está correto ao afirmar que o critério final pelo qual devemos julgar qualquer ensino é se ele promove a glória de Deus e o bem da igreja. A doutrina dos falsos mestres não faz nada disso. O que ela faz é promover a especulação e a controvérsia.¹⁵

William Barclay menciona cinco características dos falsos mestres e suas falsas doutrinas: 1) o desejo de buscar novidades – precisamos entender que a verdade não muda; o que muda são os métodos, a forma de apresentar essa verdade; 2) exaltação da mente em detrimento do coração – as falsas doutrinas davam a ideia de um intelectualismo esnobe; 3) mais interesse em discussão que em ação: eles se envolviam em discussões frívolas e abandonavam a prática da fé; 4) mais atenção à arrogância que à humildade – o desejo dos falsos mestres é ensinar em vez de aprender; 5) apego ao dogmatismo sem o conhecimento – eles nada sabem a respeito do que falam.¹⁶

Paulo é categórico em dizer que os falsos mestres não entendem o que dizem nem os assuntos sobre os quais fazem ousadas asseverações (1.7). Os judaizantes declaram que aqueles que não guardam a lei não podem ser salvos (At 15.1,5). Ainda hoje muitos alegam que quem não for batizado, não guardar o sábado, não frequentar esta ou aquela igreja, não fizer penitência ou boas obras não pode ser salvo. Esse é um terrível engano. As boas obras não são a causa da salvação, mas sua consequência. Não guardamos a lei para sermos salvos, mas porque fomos salvos pela graça. Uma pessoa não se torna cristã por fazer boas obras, mas faz boas obras por ser cristã. Todo que se coloca debaixo da lei está sob a maldição da lei. A lei condena à morte aqueles que falham em observar seus preceitos. Uma vez que nenhum ser humano é capaz de guardar a lei, todos estão condenados à morte. Cristo, porém, redime da maldição da lei aqueles que creem, fazendo-se ele mesmo maldição em nosso lugar (Gl 3.13).¹⁷

Em quarto lugar, *a maneira de combater a falsa doutrina.* – *Ora, o intuito da presente admoestação visa ao amor que procede de coração puro, e de consciência boa, e de fé sem hipocrisia* (1.5). Paulo diz a Timóteo que a responsabilidade que lhe está sendo passada não consiste apenas em promover a ortodoxia, mas também no amor que procede de um coração puro, de uma boa consciência e de uma sincera fé. Essas coisas sempre se seguem quando o evangelho da graça de Deus é pregado.[18] Hendriksen diz que, quando um pecador é levado a Cristo, o primeiro que se regenera é o coração. O resultado é que a consciência do homem começa a molestá-lo de tal modo que, sob convicção, ele se sente feliz em abraçar o Redentor por meio de uma fé viva. Daí a sequência *coração, consciência* e *fé* ser completamente natural.[19]

Do mesmo modo, Paulo ensina a Timóteo que precisamos combater o erro sem magoar as pessoas. A defesa da verdade não pode ocorrer em prejuízo do amor. A verdade precisa ser dita em amor, e o amor precisa acompanhar a ortodoxia. A admoestação precisa brotar de um coração puro, ou seja, a motivação precisa ser certa. Também esse amor precisa fluir de uma fé sem hipocrisia e de uma consciência boa, ou seja, sem a contaminação do pecado. Não se trata aqui de uma defesa pessoal, mas da defesa da verdade de Deus.

Concordo com Hans Bürki quando ele diz que o amor não é um sentimento difuso ou uma sensação positiva passageira, mas uma mentalidade que leva à ação, uma orientação da natureza que leva à obediência; é a realidade da vida a partir de Deus que transforma o ser humano.[20]

A consciência é a intuição moral do homem, seu ser moral no ato de julgar seu próprio estado, suas emoções e pensamentos, e também suas palavras e ações, sejam estas passadas, presentes ou futuras. Ela é positiva e negativa: aprova e condena (Rm 2.14,15). A boa consciência é a voz interior do homem no ato de repetir a voz de Deus, seu juízo pessoal que apoia o juízo de Deus, seu espírito que dá testemunho juntamente com o Espírito de Deus.[21]

O aspecto positivo da uma boa consciência é a fé, porque uma boa consciência não somente aborrece o mal, mas também adota o que é certo. Por isso, essa fé é verdadeira e genuína.

A função da lei (1.8-11)

Os falsos mestres usavam a lei como escudo para se defenderem. Usavam a lei para corromper a sã doutrina. Faziam propaganda de si mesmos como mestres da lei, quando na verdade eram ignorantes. Esses falsos mestres eram como os escribas e fariseus que acrescentavam à lei de Deus uma infinidade de tradições humanas e, assim, a anulavam. Paulo, então, aproveita o ensejo para falar sobre o uso correto da lei. Destacamos aqui alguns pontos.

Em primeiro lugar, *a lei é boa em si mesma*. – *Sabemos, porém, que a lei é boa, se alguém dela se utiliza de modo legítimo* (1.8). A lei nunca esteve em oposição ao evangelho. A lei é boa, santa, justa e espiritual. A lei é como um pedagogo que nos leva a Cristo. O fim da lei é Cristo. Seu propósito não é nos salvar, mas revelar nosso pecado. Seu propósito não é nos levar ao céu, mas nos levar a Cristo. Lutero diz que a lei tinha dois propósitos: político ou civil, e teológico ou espiritual. A lei foi dada tanto para coibir os não civilizados como para ser um martelo a esmagar a retidão própria dos seres humanos. A lei tanto preserva a raça humana da degradação generalizada como produz um forte senso de desespero no pecador, a ponto de desejar a graça. Para Calvino, a lei tinha esses propósitos mencionados por Lutero, mas havia ainda um terceiro propósito, ou seja, seu lugar entre os crentes, em cujo coração o Espírito de Deus já vive e reina. Assim, as três funções da lei, de acordo com Calvino, são:

punitiva (condenar os pecadores e levá-los a Cristo); intimidadora (refrear os malfeitores); e, em especial, educativa (ensinar e exortar os crentes).[22]

Em segundo lugar, *a lei não produz justiça pessoal.* — *Tendo em vista que não se promulga lei para quem é justo, mas para transgressores e rebeldes, irreverentes e pecadores, ímpios e profanos, parricidas e matricidas, homicidas* (1.9). A lei não é para os justos, mas para os pecadores. A lei lida com os pecadores. É para os transgressores que a lei é promulgada. Um justo não precisaria da sentença condenatória da lei. Porém, não há nem um justo sequer. Todos os homens são transgressores. Todos pecaram. Por isso, a lei é aplicada a todos, e todos estão debaixo da lei.

O que Paulo está ensinando é o mesmo que Jesus ensinou quando disse que os sãos não precisam de médico, e sim os doentes. E mais: *Eu não vim chamar justos, mas pecadores* (Mt 9.13; Lc 15.7; 18.9). Não é que existem pessoas sãs e outras doentes. Existem, sim, pessoas que se acreditam sãs e outras que se reconhecem doentes. Não existem pessoas justas; existem pessoas que se julgam justas aos próprios olhos. Justo é aquele que foi justificado por Deus com base na justiça de Cristo a ele imputada. Nossa justiça não é inerente, mas justiça do Justo imputada a nós, que somos injustos.

Em terceiro lugar, *a lei desnuda o pecador e revela a gravidade de seus pecados.* — ... *impuros, sodomitas, raptores de homens, mentirosos, perjuros e para tudo quanto se opõe à sã doutrina* (1.10). Um dos maiores propósitos da lei é levar os pecadores ao ponto em que eles se sintam completamente quebrantados sob o peso esmagador de seus pecados. O propósito da lei é revelar o pecado, e não tirá-lo. A lei é como uma lanterna: mostra o obstáculo no caminho, mas não tira o obstáculo.

É como uma tomografia computadorizada: mostra o tumor interno, mas não o remove. É como o prumo de um construtor civil: mostra a sinuosidade da parede, mas não a corrige. É como um espelho que revela a sujeira do nosso rosto, mas não a elimina (Rm 3.20; Gl 3.24). Quando nos colocamos diante do espelho da lei, enxergamos a malignidade do nosso pecado.

Paulo traz aqui um catálogo com quinze pecados terríveis, semelhantes aos mencionados em Romanos 1.24-32, Gálatas 5.19-21 e 2Timóteo 3.1-9. Essa lista é um desdobramento das proibições divinas contidas nas tábuas da lei. Os dez mandamentos estão divididos em duas seções: os primeiros quatro mandamentos falam sobre o nosso dever para com Deus (piedade) e os seis últimos tratam do nosso dever em relação ao próximo (justiça).

Transgressores, rebeldes, irreverentes, pecadores, ímpios e profanos cometem pecado diretamente contra Deus, por isso estão ligados à primeira tábua da lei. Já parricidas, matricidas, homicidas, impuros, sodomitas, raptores de homens, mentirosos e perjuros cometem pecados contra o próximo e, portanto, estão ligados à segunda tábua da lei.[23] Vejamos cada um deles a seguir.

Transgressores e rebeldes. Os transgressores, *anomoi,* são aqueles que conhecem as leis e as violam deliberadamente, enquanto os rebeldes, *anhypotaktoi,* são os indivíduos ingovernáveis e insubordinados. Negam-se a aceitar e obedecer a qualquer autoridade.

Irreverentes e pecadores. Os irreverentes, *asebeis,* são aqueles que professam a irreligião absoluta e ativa, cujo espírito desafia Deus. É a natureza declarando guerra contra Deus e seguindo seu próprio caminho mau. Os pecadores, *hamartoloi,* são aqueles que perderam todas as suas referências morais.

Ímpios e profanos. Os ímpios, *anosioi,* não são apenas transgressores da lei, mas aqueles que violam o mais santo e o mais decente na vida. Os profanos, *bebeloi,* são aqueles que profanam as coisas sagradas e desrespeitam toda forma de adoração a Deus.

Parricidas e matricidas. Esse pecado está relacionado à quebra do quinto mandamento. Tanto os parricidas, *patraloai,* como os matricidas, *metraloai,* são os filhos e as filhas que perderam toda gratidão e respeito pelos pais, a ponto de agredi-los e até matá-los.

Homicidas. Os homicidas, *androfonoi,* são os assassinos de homens. E isso inclui não somente o ato de matar, mas também o de odiar. Esse pecado está relacionado à quebra do sexto mandamento.

Impuros e sodomitas. Os impuros, *pornoi,* são aqueles que se entregam a toda sorte de impureza sexual. Os sodomitas, *arsenokoitai,* referem-se aos homossexuais. Essa palavra só aparece aqui e em 1Coríntios 6.9. É uma combinação de *arsen,* "macho", e *koite,* "cama", ou *keimai,* "deitar-se". Provavelmente, faz referência a Levítico 18.22: *Com homem não te deitarás, como se fosse mulher.* Esse pecado está relacionado à quebra do sétimo mandamento.

Raptores de homens. Os raptores de homens, *andrapodistai,* são aqueles culpados do mais sórdido tipo de roubo. Significa sequestradores de escravos. Esse pecado está relacionado à quebra do oitavo mandamento.

Mentirosos e perjuros. Os mentirosos, *pseustai,* são aqueles que não hesitam em mentir ou tergiversar com a verdade devido a propósitos desonestos. Esse pecado está relacionado à quebra do nono mandamento. Os perjuros, *epiorkoi,* são aqueles que dão falso testemunho contra o próximo.

Tudo o que opõe à sã doutrina. Este pecado engloba a quebra de todos os mandamentos. A expressão inclui os demais pecados, independentemente de serem explícitos ou ocultos, de ação rápida ou lenta em sua destruição, grandes ou pequenos à luz da sociedade.[24] A sã doutrina produz e mantém a saúde da igreja. Quem aceita a sã doutrina é curado e protegido da heresia injuriante e dos pecados resultantes que destroem o ser humano de modo sorrateiro e lento, como uma infecção cancerosa.[25] John Stott diz que o décimo mandamento, que proíbe a cobiça, talvez não esteja incluído na lista de Paulo por ser um pecado de pensamentos e desejos, não de palavras e obras.[26]

Em quarto lugar, *a lei está em harmonia com o ensino do evangelho.* – *... segundo o evangelho da glória do Deus bendito, do qual fui encarregado* (1.11). A lei trata da sã doutrina. Portanto, aqueles que se opõem à sã doutrina estão transgredindo a lei. A sã doutrina que a lei defende é segundo o evangelho da glória do Deus bendito. A lei e o evangelho não estão em conflito, mas se completam. A lei é a preparação; o evangelho é a consumação. A lei revela a ira de Deus como sua justiça vingativa; o evangelho revela a glória de Deus como sua justiça reconciliadora, visto que ele concede ao pecador participação em Cristo e, consequentemente, na própria beatitude de Deus.

Concordo com Hans Bürki no fato de que o único antídoto contra as enfermidades produzidas pelas heresias é o remédio da sã doutrina: *o evangelho da glória do Deus bendito*, naquele tempo e hoje.[27] John Stott tem razão em argumentar que os padrões morais do evangelho não diferem dos padrões morais da lei. Portanto, não devemos imaginar que, por termos abraçado o evangelho, podemos agora repudiar a lei. É certo que a lei é impotente para salvar-nos (Rm 8.3) e que fomos libertados da condenação da lei, de modo que, nesse sentido, não mais estamos sob a lei. Mas Deus enviou o seu Filho para morrer por nós e agora coloca o seu Espírito dentro de nós, para que as justas exigências da lei sejam plenamente satisfeitas em nós.[28]

O apostolado de Paulo (1.12-17)

Paulo combate os falsos mestres que entravam sorrateiramente nas igrejas, ressaltando seu chamado para o apostolado. Os falsos mestres falavam de sua própria parte, mas Paulo ensinava da parte de Deus. Eles eram falsos obreiros; Paulo era o ministro autorizado de Deus. Destacamos aqui alguns pontos com relação ao chamado do apóstolo.

Em primeiro lugar, *a gratidão pelo chamado.* – *Sou grato para com aquele que me fortaleceu, Cristo Jesus, nosso Senhor, que me considerou fiel, designando-me para o ministério* (1.12). Paulo dá graças não por aquilo que ele fez para Jesus, mas por aquilo que Jesus fez por ele. Paulo menciona aqui três bênçãos e por elas dá graças: 1) o Senhor o fortaleceu; 2) o Senhor o considerou fiel; o Senhor o designou para o ministério.

Em segundo lugar, *o testemunho da conversão.* – *A mim, que, noutro tempo, era blasfemo, e perseguidor, e insolente. Mas obtive misericórdia, pois o fiz na ignorância, na incredulidade. Transbordou, porém, a graça de nosso senhor com a fé e o amor que há em Cristo Jesus* (1.13,14). Paulo faz uma digressão para registrar seu passado inglório como implacável perseguidor da igreja. Sendo um fariseu zeloso (Fp 3.5), tornou-se líder destacado do judaísmo (Gl 1.14). Levantou-se como ferrenho perseguidor da igreja. Como uma fera selvagem, respirava ameaças e morte contra a igreja (At 9.1). Assolou e devastou a igreja (At 8.3; Gl 1.13). Exterminou discípulos de Cristo em Jerusalém (At 9.21). Perseguiu o Caminho até a morte (At 22.4). Fez muitas coisas contra o nome de Cristo (At 26.9). Encerrou muitos dos santos em prisão e votava contra eles quando eram condenados à morte (At 26.10). Afligia os crentes nas sinagogas, forçando-os a blasfemar e, enfurecido, os perseguia até por cidades estranhas (At 26.11). Era como um touro indomável que não queria ser amansado (At 26.14). Sua conversão foi uma obra sobrenatural de Deus. Teve de ser jogado ao chão e quebrantado para reconhecer que o Jesus que ele perseguia era de fato o Messias. Seus olhos ficaram cegos ao mesmo tempo que os olhos da sua alma foram abertos.

Paulo usa aqui três palavras para descrever a si mesmo nesse período de incredulidade. A primeira palavra é *blasfemo*. Ele falava mal dos cristãos e de seu Senhor, Jesus Cristo. A segunda palavra é *perseguidor*. Ele prendeu os cristãos, açoitou-os, forçou-os a blasfemar e deu voto para matá-los ao perceber que a religião do Caminho era uma ameaça ao judaísmo. A terceira palavra é *insolente*. Para levar a cabo seu plano opressor, ele sentia um prazer mórbido em afligir de forma violenta os cristãos. Como blasfemo, afligiu os cristãos apenas com palavras insultuosas. Como perseguidor, infligiu sofrimento físico. Como insolente, atacou os cristãos com crueldade e abuso.[29]

Para com esse homem bárbaro a graça de Deus superabundou. Ele foi plenamente alcançado pela misericórdia. A graça transbordou sobre ele como um rio numa enchente: não pode ser detido, extravasa pelas margens e carrega tudo o que vê pela frente, não havendo nada que lhe possa resistir. Mas o que o rio da graça trouxe consigo, entretanto, não foi uma devastação; foram bênçãos.[30]

Em terceiro lugar, *a dignidade do evangelho*. – *Fiel é a palavra e digna de inteira aceitação: que Cristo Jesus veio ao mundo para salvar os pecadores, dos quais eu sou o principal* (1.15).

William MacDonald ajuda-nos a entender alguns pontos importantes aqui.[31]

Primeiro, *o evangelho é digno de inteira aceitação porque é endereçado a todos*, fala acerca do que Deus fez por todos, oferecendo o presente da salvação a todos.

Segundo, *o evangelho é digno de inteira aceitação porque enfatiza a pessoa e a obra de Cristo.* Quando Paulo fala sobre Cristo Jesus, está enfatizando tanto sua divindade (Cristo) quanto sua humanidade (Jesus). Antes de sua encarnação, ele tinha glória eterna com o Pai. Belém não foi o começo de sua existência. Por amor a nós, ele desceu do céu, veio ao mundo e vestiu pele e carne humana.

Terceiro, *o evangelho é digno de inteira aceitação pelo seu glorioso propósito.* Por que Jesus veio ao mundo? Para salvar pecadores. Ele não veio para salvar pessoas boas (não existia ninguém assim em toda a terra). Ele não veio salvar os que guardam completamente a lei (não havia nenhum ser humano desse tipo em toda a terra). Aqui está a diferença essencial entre o cristianismo e as demais religiões. Todas dizem que o homem precisa fazer alguma coisa boa para ganhar o favor de Deus. O evangelho, porém, diz ao homem que ele é pecador, que está perdido, que não é capaz de salvar a si mesmo e que somente a obra substitutiva de Cristo pode salvá-lo e conduzi-lo à glória.

Quarto, o *evangelho é digno de inteira aceitação porque produz convicção de pecado.* Paulo diz no versículo 15: ... *dos quais eu sou o principal.* Vale destacar que o maior dos pecadores não era um idólatra, imoral ou ateu, mas um ortodoxo zeloso da lei que nasceu num lar extremamente religioso. Seu pecado era essencialmente doutrinário. Ele não aceitou a Palavra de Deus concernente à pessoa e à obra de Jesus Cristo. A rejeição do Filho de Deus é o maior de todos os pecados. Ainda é preciso enfatizar que Paulo não disse que era o maior dos pecadores; ao contrário, declarou: ... *dos quais eu sou o principal.* O mais piedoso santo é aquele que mais se reconhece pecador e que tem a mais apurada convicção de pecado.

Em quarto lugar, *o exemplo para os cristãos.* – *Mas, por esta mesma razão, me foi concedida misericórdia, para que, em mim, o principal, evidenciasse Jesus Cristo a sua completa longanimidade, e servisse eu de modelo a quantos hão de crer nele para a vida eterna* (1.16). John Stott diz que, embora a conversão de Paulo tenha tido muitas características excepcionais (a luz do céu, a voz audível, a língua hebraica, a queda ao chão e sua cegueira), pode ser considerada também um "protótipo" de todas as conversões subsequentes, pois foi uma demonstração da infinita paciência de Cristo. Também continua sendo uma permanente fonte de esperança para os casos que de outro modo não teriam esperança. É como se Paulo estivesse dizendo: "Não se desesperem. Se Jesus Cristo teve misericórdia até de mim, o pior dos pecadores, ele terá também misericórdia de todos vocês".[32]

Em quinto lugar, *a exaltação a Deus.* – *Assim, ao Rei eterno, imortal, invisível, Deus único, honra e glória pelos séculos dos séculos. Amém!* (1.17). Paulo derrama sua alma num jorro caudaloso de louvor; nessa arrebatadora doxologia, diz que Deus é eterno, Rei único, imortal e invisível. Não o imperador romano, mas o verdadeiro Rei é Deus. Rei não apenas do mundo transitório, mas de todas as eras, e é o Criador, o Mantenedor e o Redentor de todos os tempos e de toda a vida.[33]

O dever de Timóteo (1.18-20)

Paulo tratou até aqui sobre os falsos mestres que pregavam um falso evangelho; falou sobre sua conversão e seu apostolado para proclamar o verdadeiro evangelho. Agora cabe a Timóteo realizar o ministério. Timóteo permaneceu em Éfeso para pastorear a igreja e combater os falsos mestres. Três verdades devem ser aqui observadas.

Em primeiro lugar, *o combate às falsas doutrinas é um dever da liderança da igreja*. – *Este é o dever de que te encarrego, ó filho Timóteo, segundo as profecias de que antecipadamente foste objeto: combate, firmado nelas, o bom combate* (1.18). A vida cristã é um combate, uma guerra sem trégua, uma luta sem pausa. Não podemos, porém, entrar nessa peleja trajando armas carnais. Precisamos usar armas poderosas em Deus para anular sofismas e destruir fortalezas. As armas de combate na luta contra a heresia são a fé e a boa consciência. Quem não sabe preservar o que lhe foi confiado também não é capaz de conquistar algo novo. Quem não preserva a boa consciência é como um capitão que solta o leme do navio, passando a vagar sem rumo pelas ondas até que o navio se despedace em recifes.[34]

Em segundo lugar, *o combate às falsas doutrinas exige cautela*. – *Mantendo fé e boa consciência, porquanto alguns, tendo rejeitado a boa consciência, vieram a naufragar na fé* (1.19). Os falsos mestres rejeitaram a boa consciência e, conforme diz Calvino, a má consciência é a mãe de todas as heresias.

Em terceiro lugar, *a disciplina eclesiástica é uma necessidade*. – *E dentre esses se contam Himeneu e Alexandre, os quais entreguei a Satanás, para serem castigados, a fim de não mais blasfemarem* (1.20). Alguns eruditos entendem a expressão *entreguei a Satanás* como uma simples referência à excomunhão, como é o caso do jovem incestuoso de Corinto (1Co 5.1-13). A dificuldade é que a excomunhão era uma função da igreja local, e não do apóstolo. Foi assim que Paulo orientou a igreja de Corinto (1Co 5.4,5,13). A outra interpretação deste texto é que "entregar a Satanás" era um poder dado aos apóstolos de infligir sofrimento físico aos impenitentes e hereges (At 13.8-11) ou mesmo, em casos extremos, de impor a própria morte, conforme aconteceu a Ananias e Safira (At 5.1-11; 1Co 11.30). No caso em apreço, parece-nos que se trata de disciplina, e não de condenação, pois o propósito era impedir que tais pessoas continuassem blasfemando.[35] Logo, a expressão *entreguei a Satanás* refere-se ao processo disciplinar que era comum tanto na sinagoga como na igreja de Deus.

Uma das marcas da igreja verdadeira é o uso correto da disciplina. O juízo precisa começar pela Casa de Deus. Se a igreja não julgar a si mesma, será condenada com o mundo. Mas, quando julga a si mesma, é disciplinada pelo Senhor. Hans Bürki diz que toda disciplina – que pode incluir enfermidade, debilitação física ou espiritual e, em caso extremo, morte precoce – tem em vista um efeito de cura. A pessoa disciplinada deve ser salva da perdição definitiva e reconduzida para a vida saudável.[36]

NOTAS DO CAPÍTULO 2

[1] WIERSBE, Warren W. *Comentário bíblico expositivo*. Vol. 6. Santo André: Geográfica, 2006, p. 273.

[2] BÜRKI, Hans. "Cartas a Timóteo". In: *Cartas aos Tessalonicenses, Timóteo, Tito e Filemom*, p. 173.

³ HENDRIKSEN, Guillermo. *1 y 2 Timoteo y Tito*. Grand Rapids: TELL, 1979, p. 60.
⁴ Ibid., p. 61.
⁵ Ibid., *1 y 2 Timoteo y Tito*, p. 64.
⁶ BARCLAY, William. *I y II Timoteo, Tito y Filemon*, p. 30.
⁷ HENDRIKSEN, Guillermo. *1 y 2 Timoteo y Tito*, p. 65.
⁸ WIERSBE, Warren W. *Comentário bíblico expositivo*, p. 274-277.
⁹ HENDRIKSEN, Guillermo. *1 y 2 Timoteo y Tito*, p. 69.
¹⁰ STOTT, John. *A mensagem de 1 Timóteo, Tito e Filemom*. São Paulo: ABU, 2004, p. 38.
¹¹ MACDONALD, William. *Believer's Bible Commentary*. Nashville: Thomas Nelson Publishers, 1995, p. 2075.
¹² HENDRIKSEN, Guillermo. *1 y 2 Timoteo y Tito*, p. 70.
¹³ BARCLAY, William. *I y II Timoteo, Tito y Filemon*, p. 33-34.
¹⁴ BÜRKI, Hans. "Cartas a Timóteo." In: *Cartas aos Tessalonicenses, Timóteo, Tito e Filemom*, p. 179.
¹⁵ STOTT, John. *A mensagem de 1 Timóteo, Tito e Filemom*, p. 42.
¹⁶ BARCLAY, William. *I y II Timoteo, Tito y Filemon*, p. 38-39.
¹⁷ MACDONALD, William. *Believer's Bible Commentary*. 1995, p. 2076.
¹⁸ Ibid.
¹⁹ HENDRIKSEN, Guillermo. *1 y 2 Timoteo y Tito*, p. 73.
²⁰ BÜRKI, Hans. "Cartas a Timóteo." In: *Cartas aos Tessalonicenses, Timóteo, Tito e Filemom*, p. 180.
²¹ HENDRIKSEN, Guillermo. *1 y 2 Timoteo y Tito*, p. 74.
²² STOTT, John. *A mensagem de 1Timóteo, Tito e Filemom*, p. 43-44.
²³ MACDONALD, William. *Believer's Bible Commentary*, p. 2077.
²⁴ BÜRKI, Hans. "Cartas a Timóteo". In: *Cartas aos Tessalonicenses, Timóteo, Tito e Filemom*, p. 183.
²⁵ Ibid., p. 184.
²⁶ STOTT, John. *A mensagem de 1 Timóteo, Tito e Filemom*, p. 46.
²⁷ BÜRKI, Hans. "Cartas a Timóteo." In: *Cartas aos Tessalonicenses, Timóteo, Tito e Filemom*, p. 184.
²⁸ STOTT, John. *A mensagem de 1 Timóteo, Tito e Filemom*, p. 46.
²⁹ MACDONALD, William. *Believer's Bible Commentary*, p. 2078.
³⁰ STOTT, John. *A mensagem de 1 Timóteo, Tito e Filemom*, p. 48.
³¹ MACDONALD, William. *Believer's Bible Commentary*, p. 2078-2079.
³² STOTT, John. *A mensagem de 1 Timóteo, Tito e Filemom*, p. 51-52.
³³ BÜRKI, Hans. "Cartas a Timóteo." In: *Cartas aos Tessalonicenses, Timóteo, Tito e Filemom*, p. 188-189.
³⁴ Ibid., p. 191.
³⁵ MACDONALD, William. *Believer's Bible Commentary*, p. 2080,2081.
³⁶ BÜRKI, Hans. "Cartas a Timóteo." In: *Cartas aos Tessalonicenses, Timóteo, Tito e Filemom*, p. 191.

Capítulo 3

Princípios divinos sobre o culto público
(1Tm 2.1-15)

As CARTAS PASTORAIS tinham como propósito primário orientar os jovens pastores a procederem corretamente na igreja de Deus (3.15). Os mesmos princípios antigos são atuais e oportunos para nós hoje. A Palavra de Deus é supracultural e atemporal. Ela permanece para sempre.

Neste segundo capítulo, Paulo orienta Timóteo acerca do culto público e faz recomendações sobre a oração e a postura correta de homens e mulheres nas práticas da igreja.

O alcance universal da oração (2.1-3)

Paulo menciona a importância fundamental da oração no culto público, e a esse respeito destacamos alguns pontos.

Em primeiro lugar, *a primazia da oração*. – *Antes de tudo, pois, exorto que se use a prática de súplicas...* (2.1a). As palavras "*próton panton*", *antes de tudo*, indicam primazia de importância, e não de tempo.¹ A oração não é um apêndice no culto, mas parte vital do ofício religioso. Os apóstolos entenderam a primazia da oração, quando decidiram: *Quanto a nós, nos consagraremos à oração e ao ministério da palavra* (At 6.4). Hoje, em muitas igrejas, gasta-se mais tempo com avisos que com oração. As orações tornaram-se repetitivas, enfadonhas e mecânicas. Falta primazia, fervor e entusiasmo na oração.

Em segundo lugar, *a variedade da oração*. – *... que se use a prática de súplicas, orações, intercessões, ações de graças...* (2.1b). Embora o objetivo de Paulo seja insistir na centralidade da oração mais que numa análise de seus tipos, o apóstolo usa aqui quatro formas de oração.

Primeiro, as "súplicas". Estão relacionadas à apresentação de um pedido ou de uma necessidade a Deus. A ideia fundamental da palavra grega *deesis* é um sentimento de necessidade. A oração começa com o reconhecimento de nossa total dependência de Deus. A oração é a insuficiência humana aproximando-se da suficiência divina. Quando reconhecemos nosso desamparo e corremos para Deus, cônscios de nossa completa necessidade, despejamos diante dele nossas súplicas.

Segundo, as "orações". Designam o movimento da alma em direção a Deus. As orações são um ato de adoração a Deus, exaltando-o pela excelência de seus atributos. A palavra grega *proseuche* é a mesma empregada para "adoração". Se *deesis* é uma palavra que pode ser usada para súplicas a outro ser humano, *proseuche* é um termo que só pode ser aplicado a Deus. Há certas necessidades que só Deus pode satisfazer. Só Deus pode outorgar perdão e salvação. Por isso, só Deus merece a honra, a glória e o louvor.

Terceiro, as "intercessões". Estão relacionadas com a súplica em favor de alguém ou de alguma coisa. A palavra grega *enteuxis* traz a ideia de entrar na presença do rei para lhe fazer uma petição. Pela oração entramos na sala do trono e conversamos face a face com o Soberano Senhor, o Deus onipotente, aquele que está assentado na sala de comando do Universo e tem as rédeas da história em suas mãos. Nenhum pedido é grande demais para ele. Para Deus não há impossíveis!

Quarto, as "ações de graças". Referem-se à nossa gratidão a Deus pelo que ele tem feito. A palavra grega *eucaristia* deixa claro que orar não é apenas aproximar-se de Deus para adorá-lo por quem ele é, e para rogar a ele suas bênçãos, mas também e sobretudo para agradecer por aquilo que ele tem feito. Concordo com Hans Bürki quando ele diz que somente quem agradece permanece alerta para Deus, porque não se volta novamente para si e suas necessidades.[2]

Em terceiro lugar, *o alcance da oração. – ... em favor de todos os homens, em favor dos reis e de todos os que se acham investidos de autoridade...* (2.1c,2). A oração tem alcance universal. Tocamos o mundo inteiro com as nossas orações. A oração transpõe todas as barreiras geográficas, culturais e religiosas. Hans Bürki diz que a oração pelos governantes e dignitários baseia-se na convicção consistente da Bíblia de que toda autoridade é derivada de Deus e pode persistir somente em conexão com o poder e a vontade de Deus.[3]

O apóstolo Paulo destaca três alcances das orações.

Primeiro, "orar em favor de todos os homens". Isso significa que nenhuma pessoa está fora da esfera das nossas orações. Devemos orar pelos salvos e pelos não salvos; devemos orar por nossos irmãos e até por nossos inimigos. Concordo com Hendriksen quando ele diz que a expressão *todos os homens* neste contexto significa todos os homens sem distinção de raça, nacionalidade ou posição social, e não todos os homens individualmente, tomados por um.[4]

Segundo, "orar em favor dos reis". Mesmo que essas autoridades sejam perversas, como era o caso do imperador Nero, devemos orar por elas. Ainda que pessoalmente sejam pessoas indignas, a posição que ocupam merece o nosso respeito e deve ser objeto das nossas orações.

Terceiro, "orar em favor dos que se acham investidos de autoridade". A Bíblia é clara em afirmar que toda autoridade procede de Deus e é ministro de Deus para coibir o mal e promover o bem (Rm 13.1-3). Em vez de falar mal das autoridades, devemos orar por elas.

Em quarto lugar, *os propósitos da oração* (2.2b,3). A igreja primitiva era alvo constante de oposição e perseguição, de modo que era sábio orarem pelas autoridades. Com que propósito devemos orar? Vejamos alguns motivos.

Primeiro, para vivermos uma vida tranquila e mansa. A vida mansa refere-se às circunstâncias, enquanto a vida tranquila diz respeito a uma atitude interior de calma. Hendriksen explica com propriedade essa ideia: "Vida tranquila refere-se a uma vida livre de inquietudes externas; e vida mansa é uma vida que está livre de perturbações internas".[5]

Segundo, para vivermos com toda piedade e respeito. A palavra grega *eusebeia*, traduzida por "piedade", descreve aquela atitude mental de respeito ao próximo e a si mesmo e de honra a Deus.[6] Já a palavra *semnotes*, traduzida por "respeito", refere-se àquela pessoa que vive uma vida cúltica, em que todos os atos são litúrgicos, e que se move neste mundo como se este fosse o templo do Deus vivente, tendo uma atitude correta tanto em relação a Deus como em relação ao próximo.[7]

Terceiro, porque isto agrada a Deus. Paulo diz que a oração intercessora em favor de todos os homens, em favor dos reis e daqueles que estão investidos de autoridade é algo bom e aceitável diante de Deus. O Pai se agrada de ver seus filhos orando e vivendo em sua dependência. O Pai se agrada em ver seus filhos colocando-se na brecha em favor de todos os homens, bem como dos reis e das demais autoridades constituídas.

O alcance universal do propósito salvador de Deus (2.4)

A oração deve ter alcance universal, porque o propósito salvador de Deus também tem propósito universal. O apóstolo Paulo escreve: *O qual deseja que todos os homens sejam salvos e cheguem ao pleno conhecimento da verdade* (2.4). Devemos orar por todos os homens, porque Deus deseja que todos os homens sejam salvos por meio da fé em Jesus (2.4). Deus amou o mundo inteiro (Jo 3.16), e Cristo é a propiciação pelos pecados do mundo todo (1Jo 2.2). Por intermédio de Cristo, Deus reconciliou o mundo consigo (2Co 5.18,19). Isso não significa, porém, que *todos os homens* seja uma referência a todos os homens sem exceção; significa, certamente, *todos os homens* sem acepção. Hendriksen tem razão em dizer que, em um sentido, a salvação é universal, isto é, não está limitada a um grupo particular. O propósito de Deus é que *todos os homens*, sem distinção de posição social, raça ou nacionalidade, sejam salvos.[8] Calvino corrobora a ideia, acrescentando que este versículo se relaciona a classes de homens, e não a pessoas individualmente.[9]

Concordo com Warren Wiersbe no sentido de que não se trata aqui de uma referência a todas as pessoas sem exceção, pois é certo que nem todo mundo será salvo. Antes, refere-se a todas as pessoas sem distinção – judeus, gentios, ricos, pobres, religiosos e pagãos.[10] Nessa mesma linha de pensamento, William Barclay declara que, dentro do evangelho, não há distinção de classe. O rei e o súdito, o rico e o pobre, o aristocrata e o campesino, o patrão e o empregado, todos estão incluídos no abraço ilimitado de Deus.[11]

Erdman destaca que a salvação é limitada não pela vontade de Deus, mas pela oposição e incredulidade dos homens.[12] A salvação é oferecida a todos, mas depende do *pleno conhecimento da verdade* (2.4). A salvação é inseparável da fé. Portanto, ser salvo implica chegar ao *conhecimento da verdade*. A soberania de Deus na salvação e a responsabilidade humana são verdades que correm paralelamente. Não se excluem mutuamente; pelo contrário, completam-se.

O alcance universal da redenção (2.5,6)

Se as orações têm alcance universal, se o propósito de Deus tem alcance universal, também a redenção tem alcance universal. O apóstolo Paulo faz aqui três importantes declarações.

Em primeiro lugar, *existe um só Deus. – Porquanto há um só Deus...* (2.5a). No mundo antigo, havia uma infinidade de deuses. Paulo faz da unicidade de Deus o fundamento da universalidade do evangelho.[13] Os pagãos tinham seus panteões repletos de deuses. Éfeso, a cidade na qual Timóteo pastoreava, era povoada por muitos deuses. Embora haja muitos deuses, só existe um Deus vivo e verdadeiro. Todos os outros deuses foram criados pela imaginação humana. Nas palavras de Hendriksen, "não há um Deus para esta nação e outro para outra; um Deus para os escravos e um para os livres; um Deus para os reis e outro para os súditos".[14] O apóstolo é meridianamente claro quando escreve: *É Deus somente dos judeus? Não é também Deus dos gentios? Certamente também dos gentios: Porque Deus é um...* (Rm 3.29).

Em segundo lugar, *existe um só Mediador entre Deus e os homens. – ... e um só Mediador entre Deus e os homens, Cristo Jesus, homem* (2.5b). Um mediador é alguém que atua entre duas partes para reuni-las. Jesus é o Mediador entre Deus e os homens, porque ele é Deus-homem. Deus estava em Cristo para reconciliar consigo o mundo (2Co 5.19). É Cristo quem restaura os pecadores a uma correta relação legal com Deus. Hendriksen diz que o que Paulo está ensinando aqui é que não há um Deus para este grupo e outro para aquele grupo; não há um Mediador para esta nação e outro para outra nação, mas somente um Deus para todos os homens e somente um Mediador para todos os homens, o *homem* Cristo Jesus.[15] Concordo com Erdman quando ele destaca que não resta, pois, lugar para a mediação dos santos nem de anjos. Jesus é a única pessoa por meio da qual temos acesso ao Pai.[16] O próprio Jesus disse: *Eu sou o Caminho, e a Verdade, e a Vida e ninguém vem ao Pai senão por mim* (Jo 14.6).

Em terceiro lugar, *existe um só Resgatador. – O qual a si mesmo se deu em resgate por todos: testemunho que se deve prestar em tempos oportunos* (2.6). A palavra grega *antilutron* significa dar a própria vida por, ou em lugar de, outra pessoa. A ideia é remir de algo, morrer em lugar de, a favor de, ou remir alguém para algo melhor.[17] Cristo morreu em nosso lugar, em nosso favor. Isso significa que a morte de Cristo foi vicária, substitutiva. Foi um resgate, e resgate é o preço pago para libertar um escravo. Por amor, Cristo entrega sua vida à morte como resgate. Sua imolação sangrenta é preço pelo qual nós, pecadores, fomos comprados para ficarmos livres do pecado, da morte e do diabo.[18]

A morte de Cristo é suficiente para todos, mas eficiente apenas para os que creem. Cristo não morreu apenas para possibilitar a nossa salvação; morreu efetivamente para nos salvar. Jesus morreu como nosso substituto. Ele morreu a nossa morte, levou sobre si o nosso pecado e pagou a nossa dívida. Sofreu o golpe da lei que deveríamos sofrer e satisfez plenamente a justiça de Deus em nosso lugar. Agora já nenhuma condenação há para aqueles que estão em Cristo Jesus (Rm 8.1). Devemos, portanto, entender que a expressão *regaste por todos*, no versículo 7, deve ser interpretada da mesma forma que interpretamos os outros versículos: todos os homens sem acepção, e não todos os homens sem exceção, ou seja, todos os homens sem consideração de posição social, raça ou nacionalidade.

O alcance universal do evangelho (2.7)

Assim como existe um só Deus, um só Mediador e um só Resgatador, também existe um só evangelho, uma só mensagem a ser pregada no mundo inteiro. O apóstolo Paulo confessa: *Para isto fui designado pregador e apóstolo (afirmo a verdade, não minto), mestre dos gentios na fé e na verdade* (2.7). Paulo emprega três termos para descrever seu ministério de pregação universal.

Em primeiro lugar, *pregador*. A palavra grega *kerux* significa o mensageiro ou arauto que levava a mensagem do rei ao povo. A qualificação mais importante do arauto era que ele representava ou relatava fielmente a palavra da pessoa que o enviara. Ele não podia ser "original", pois a mensagem não era sua, e sim de outra pessoa.[19] Paulo é um arauto de Deus que proclama as boas-novas do Rei dos reis às nações: *Rogamos, pois, em nome de Cristo, que vos reconcilieis com Deus* (2Co 5.20). Hendriksen diz que esse é o coração da pregação. Os mesmos rebeldes que mereciam uma mensagem de juízo e condenação recebem boas-novas de felicidade. Não é a cidade rebelde que envia um embaixador a negociar as condições de paz, mas o Rei dos reis ofendido que envia seu próprio arauto para proclamar paz por meio de um resgate, o sangue de seu próprio Filho amado.[20]

Em segundo lugar, *apóstolo*. Paulo foi designado não apenas arauto, mas também apóstolo, representando Cristo, plenamente investido com autoridade delegada quanto à doutrina e à conduta, com autoridade estendida a toda a igreja, em toda a face da terra, em todos os tempos. Uma igreja apostólica hoje, portanto, é a aquela que segue fielmente a doutrina dos apóstolos.

Em terceiro lugar, *mestre*. Barclay diz que o pregador é a pessoa que proclama os fatos, o apóstolo é a pessoa que é testemunha ocular dos fatos, e o mestre é a pessoa que leva os homens a compreender o significado dos fatos.[21] Tanto Paulo quanto sua mensagem foram usados por Deus como um instrumento para levar a mente e o coração dos gentios à fé viva na verdade do evangelho.[22]

A atitude correta dos homens com respeito à oração no culto público (2.8)

Do escopo universal da oração, Paulo passa para as disposições e o comportamento apropriados do cristão ao orar.[23] Em virtude do propósito de Deus em salvar todos os homens e da obra de Cristo para consumar essa salvação, Paulo fala agora sobre o desejo de que os homens da igreja se engajem numa abundante e dinâmica vida de oração. O apóstolo trata da atitude correta que os homens devem adotar na oração. Como os homens devem orar?

Há três impedimentos à oração, a saber: o pecado, a ira e as contendas; e há três virtudes indispensáveis: a santidade, o amor e a paz.²⁴ O que conta na oração não é a postura física, mas a atitude interior. Kelly chega a dizer que o gesto externo é fútil, até mesmo blasfemo, a não ser que o coração por dentro esteja livre de má vontade.²⁵ Orar em pé e com as mãos levantadas pode variar de cultura para cultura, mas a santidade, o amor e a paz com que os homens devem orar são princípios eternos. Como os homens devem orar?

Em primeiro lugar, *por meio de uma vida santa*. – *Quero, portanto, que os varões orem em todo lugar, levantando mãos santas...* (2.8a). A oração não deve se limitar a um lugar específico. Como Deus é onipresente, devemos orar em todo lugar. Era costume dos judeus levantar as mãos na hora da oração. As mãos levantadas para Deus, conforme Carl Spain, sugerem as mãos de uma criança dependente levantadas para um pai que tem o poder de conceder o que a criança precisa e deseja.²⁶ A questão, porém, não é o gesto, mas a vida. Não é a postura do corpo, mas a atitude da alma. O gesto precisa ser acompanhado da motivação certa. Se vamos levantar as mãos, precisam ser mãos santas. A vida santa é a base da oração eficaz. O pecado no coração interrompe as orações (Sl 66.18). Hendriksen chama a atenção para o fato de que a postura não é uma questão indiferente quando se trata de oração. Seria uma abominação adotar uma postura relaxada para estar na presença de Deus. Por outro lado, a Bíblia não sacraliza uma posição física. Encontramos nas Escrituras, por exemplo, pessoas orando em pé, com as mãos estendidas, com a cabeça reclinada, com os olhos levantados aos céus, de joelhos, prostradas com o rosto em terra.²⁷

Em segundo lugar, *por meio de sentimentos puros*. – ... *sem ira...* (2.8b). Para que os homens orem eficazmente, é necessário que seus relacionamentos estejam em ordem. Não podemos ter comunhão vertical com Deus se não temos comunhão horizontal com as pessoas. Quem guarda mágoa no coração não pode orar (Mc 11.25).

Em terceiro lugar, *por meio de relacionamentos certos. – ... nem animosidade* (2.8c). Animosidade é uma indisposição com outra pessoa. É abrigar um espírito de contenda. A oração eficaz exige que o nosso coração esteja em ordem com Deus (*mãos santas*) e com os nossos irmãos (*sem ira nem animosidade*).[28] Huns Bürki está certo ao dizer que quem não busca reconciliação com o próximo, quem tem ira contra o irmão, quem briga e discute com ele, esse não pode comparecer em oração perante Deus. Autoavaliação e reconciliação precedem a oração.[29]

A atitude adequada das mulheres no culto público (2.9-15)

A palavra *igualmente* no início do versículo 9 mostra que Paulo está continuando suas observações em relação à conduta no culto público. Tanto os homens quanto as mulheres precisam se preparar para participar do culto público. A vida precede o serviço. Primeiro, Deus aceita o adorador; depois, a adoração. Primeiro, Deus se agrada do ofertante; depois, da oferta. Os homens não devem se irar no coração nem se digladiar com palavras; as mulheres não devem ser impuras no coração nem lutar por uma posição com palavras.[30]

Este é um dos textos mais difíceis de interpretar de todas as cartas paulinas. Muitos debates têm travado e muitas argumentações têm sido expostas para interpretá-lo. Preliminarmente, precisamos entender o pano de fundo cultural em que o texto foi escrito para compreendermos suas implicações e aplicações. William Barclay aborda o assunto ao tratar do contexto judaico e grego.[31]

Em primeiro lugar, *o contexto judaico*. A posição da mulher no judaísmo era de inferioridade em relação ao homem. Algumas vezes ela era vista como uma coisa, e não como uma pessoa. Pertencia ao pai enquanto solteira e ao marido depois de casada. Um judeu agradecia a Deus todas as manhãs por não o ter feito nascer gentio, escravo ou mulher. Para as mulheres era proibido aprender a lei. Elas também não participavam dos serviços da sinagoga. Os homens iam à sinagoga para aprender; as mulheres iam apenas para escutar. As mulheres estavam expressamente proibidas de ensinar na escola.

Em segundo lugar, *o contexto grego*. A posição das mulheres na cultura grega era ainda mais aviltante. Uma mulher grega respeitada levava uma vida de reclusão no lar. Nunca andava sozinha na rua ou nos lugares públicos nem participava das assembleias.

John Stott, considerado um dos maiores exegetas do século XX, ressalta que dois princípios hermenêuticos devem ser observados para uma correta compreensão de um texto bíblico: o princípio da harmonia e o princípio histórico.[32] O que significa *o princípio da harmonia*? A Bíblia não se contradiz. O texto em apreço não pode contradizer a verdade de que a mulher é tão imagem de Deus quanto o homem, nem pode negar o fato de que a mulher é remida por Cristo da mesma forma que o homem. Logo, aos olhos de Deus, a mulher tem o mesmo valor e a mesma dignidade do homem. E o que significa *o princípio histórico*? Deus sempre proferiu sua palavra num ambiente cultural e histórico particular, especialmente o do antigo Oriente Próximo (o Antigo Testamento), o do judaísmo palestino (os Evangelhos) e o do mundo greco-romano (o restante do Novo Testamento). Nenhuma palavra de Deus foi proferida num vácuo cultural; toda palavra foi expressa num contexto cultural. As Escrituras são uma mistura, em substância e forma, da verdade eterna (que transcende a cultura), com sua apresentação cultural e mutável. Mas como distingui-las? Três respostas são dadas, segundo John Stott.[33]

Primeiro, o literalismo. Aqueles que seguem a linha literalista entronizam a forma cultural, dando-lhe a mesma autoridade normativa atribuída à verdade por ela expressa. Desta forma, para serem consistentes em sua interpretação de 1Timóteo 2.8-15, tais pessoas terão de insistir que os homens devem sempre levantar as mãos ao orar (2.8), que as mulheres nunca devem fazer tranças no cabelo nem usar joias (2.9), e que em circunstância alguma a mulher pode ensinar aos homens (2.11,12).

Segundo, o liberalismo. Os liberais caem no extremo oposto. Rejeitam a verdade eterna juntamente com a expressão cultural. Ou seja, em vez de elevarem as expressões culturais ao nível de uma verdade eterna (como fazem os literalistas), eles rebaixam a verdade eterna ao nível de suas expressões culturais. Os liberais não têm compromisso com a fidelidade às Escrituras e negam sua inerrância, infalibilidade e suficiência. Para os liberais, a Bíblia tornou-se obsoleta e sua mensagem não mais se aplica à nossa realidade cultural como única regra de fé e prática. William Barclay chegou a escrever: "A igreja cristã não estabeleceu estas normas para que fossem permanentes; são apenas coisas necessárias à situação em que se encontrava a igreja primitiva".[34]

Terceiro, a transposição cultural. John Stott afirma que a melhor forma de tratar os versículos 8 a 15 é aplicar o princípio da transposição cultural aos três tópicos, a saber, as orações dos homens (2.8), os adornos femininos (2.9,10) e a sujeição das mulheres (2.11-15). Nos dois primeiros casos, a aplicação não é difícil. Sempre e em qualquer lugar, os homens devem orar em santidade e amor (2.8). Mas sua postura corporal ao fazerem isso (permanecendo em pé, de joelhos, sentados, batendo palmas ou levantando os braços) pode variar de acordo com a cultura. Sempre e em qualquer lugar, as mulheres devem adornar-se com modéstia, decência, propriedade e boas obras (2.9,10); mas suas vestes, seu estilo de penteado e seus adornos podem variar de acordo com a cultura. Assim como a transposição cultural foi usada nos dois primeiros casos, deve ser usada também no terceiro (2.11-15).

Há aqui duas proibições (ensinar e ter autoridade, 2.11) e duas ordens (silêncio e sujeição, 2.12). O comportamento da mulher no culto público deve caracterizar-se por uma postura de silêncio, e não de ensino; de sujeição, e não de autoridade. A recomendação, portanto, de John Stott é que o requisito do silêncio (2.11) assim como o do uso do véu (1Co 11.10) eram símbolos culturais do primeiro século que expressavam a liderança masculina, o que não é necessariamente apropriado nos dias de hoje. Isso porque o silêncio não é um ingrediente essencial da submissão; a sujeição manifesta-se de diferentes modos em diferentes culturas. Semelhantemente, o fato de uma mulher ensinar homens não significa necessariamente que ela tenha autoridade sobre eles. O ensino pode ser dado sob diversos estilos, com significados diferentes. Assim, a profecia pública feita por mulher não era considerada um exercício indevido de autoridade sobre os homens, presumivelmente por realizar-se sob a direta inspiração e autoridade de Deus (1Co 11.5; At 2.17; 21.9). Também o ensino de Priscila e Áquila a Apolo não foi indevido, por ter sido feito não em público, mas na casa deles (At 18.26).[35]

Com esse pano de fundo em mente, podemos agora entrar na exposição do texto. Warren Wiersbe diz que, em tempos de emancipação da mulher e de movimentos feministas, o termo "submissão" faz ferver o sangue de muitos.³⁶ A submissão, porém, é um conceito bíblico que deve reger os nossos relacionamentos (Ef 5.21). Os filhos devem ser submissos aos pais, os empregados aos patrões, os cidadãos às autoridades, as esposas ao marido e os irmãos uns aos outros.

O apóstolo Paulo estabelece alguns princípios importantes que devem reger a postura das mulheres cristãs no culto público.

Em primeiro lugar, *usar trajes decentes*. – *Da mesma sorte, que as mulheres, em traje decente, se ataviem com modéstia e bom senso, não com cabeleiras frisadas e com ouro, ou pérolas, ou vestuário dispendioso* (2.9). As mulheres não devem ferir as mais pobres por meio de uma riqueza ostensiva nem provocá-las à inveja. Não há aqui, porém, proibição do uso de joias ou vestuários, mas dos excessos como substitutos à verdadeira beleza de um *espírito manso e tranquilo* (1Pe 3.1-6).³⁷ Quando uma mulher se adorna, está procurando aumentar sua beleza. Desse modo, Paulo reconhece duas coisas: que as mulheres são bonitas e que devem aumentar sua beleza e exibi-la.³⁸ O aposto Pedro trata do mesmo assunto: *Não seja o adorno da esposa o que é exterior, como frisado de cabelos, adereços de ouro, aparato de vestuários* (1Pe 3.3). As mulheres do primeiro século não tinham participação na vida pública nem acesso ao trabalho fora do lar. As abastadas gastavam seu tempo em coisas fúteis, e muitas delas investiam toda a sua energia em cuidar da beleza exterior, relegando a uma posição de descaso o cultivo da beleza interior. As mulheres crentes não deveriam imitar esse modelo.

É claro que, com isso, não há nenhum incentivo para que mulheres cristãs se tornem relaxadas com sua apresentação pessoal. É preciso existir um equilíbrio entre o cultivo da beleza interior e a manifestação graciosa do exterior. A mulher virtuosa de Provérbios 31 tinha bom gosto para se vestir e cuidava bem do corpo, mas entendia que a beleza interior precisa sobrepujar a beleza física, pois esta passará, enquanto aquela permanece para sempre: *Enganosa é a graça, e vã, a formosura, mas a mulher que teme ao* S*enhor, essa será louvada* (Pv 31.30). As mulheres cristãs precisam se esforçar para adornar sua alma mais do que seu corpo, pois os enfeites do corpo são destruídos pela traça e deterioram com o uso; a graça de Deus, porém, quanto mais é usada, melhor e mais resplandecente se torna.[39] O perigo não é o uso, mas o abuso; não é o equilíbrio, mas o excesso. A ênfase não está na proibição, mas num senso adequado de valores.

Paulo oferece três exemplos de adornos externos: cabelo, joias e roupas. O apóstolo estabelece um contraste entre o exterior exibicionista e a modéstia. Enquanto penteados entremeados com ouro e pérolas e roupas caras existem para ser exibidos, a modéstia e o bom senso no vestuário chamam mais a atenção para o homem interior do coração.

O que era *o frisado de cabelos* (2.9)? Naquela época, as mulheres usavam penteados extravagantes para chamar a atenção. As mais ricas introduziam em suas tranças joias caras e até pedras preciosas, em evidente ostentação. Com isso, atraíam os olhares dos admiradores. As mulheres romanas gostavam de seguir a última moda e competiam entre si para ver quem tinha as roupas e os penteados mais sofisticados.[40]

O que era o *vestuário dispendioso* (2.9)? As mulheres da nobreza costumavam investir enormes somas de dinheiro em um vestido para ostentarem sua riqueza, seu luxo e seu *glamour* na passarela da moda. Faziam disso a razão da própria vida. Paulo se posiciona contra essa inversão de valores e orienta as mulheres cristãs a serem modestas e decentes quanto ao vestuário. Para John Stott, o que Paulo está enfatizando é que as mulheres cristãs devem adornar-se com vestes, penteados e artigos de joalheria que, em sua *cultura*, não sejam caros nem extravagantes; que sejam modestos, e não ufanosos; decentes, e não sensuais.[41]

Em segundo lugar, *praticar boas obras*. – *Porém com boas obras (como é próprio às mulheres que professam ser piedosas)* (2.10). O que Paulo está ressaltando aqui é que, em vez de existir um dispêndio na apresentação de vestuários e penteados, deve existir um esforço na prática de boas obras. Em vez de buscar apenas a aparência externa, as mulheres cristãs devem se esmerar em praticar boas obras. Paulo está lembrando às mulheres que há dois tipos de beleza feminina, a física e a moral, a beleza do corpo e a beleza do caráter. A igreja deve ser um verdadeiro salão de beleza para encorajar as mulheres a se adornarem com boas obras.[42]

Com respeito à prática das boas obras, vale destacar que as mulheres sempre estiveram na vanguarda. Foram elas que sustentaram o ministério de Cristo (Lc 8.1-3). Foram elas que estavam presentes tanto na crucificação de Cristo como em seu sepultamento. Foi uma mulher a primeira a proclamar a ressurreição de Cristo. As mulheres estavam no Cenáculo, quando o Espírito Santo foi derramado. No livro de Atos encontramos a menção de várias mulheres piedosas, como Dorcas, Lídia, Priscila, bem como as mulheres piedosas das igrejas de Bereia e Tessalônica. Paulo faz referência a Febe, a mulher que levou a carta de Paulo à igreja de Roma (Rm 16.1). Pedro fala acerca das mulheres que ganham o marido sem discurso, mas com exemplo e prática de boas obras (1Pe 3.1-6).

Em terceiro lugar, *aprender em silêncio*. – *A mulher aprenda em silêncio, com toda a submissão. E não permito que a mulher ensine, nem exerça autoridade de homem; esteja, porém, em silêncio* (2.11,12). Depois do vestuário e dos adornos externos, Paulo toca no papel que as mulheres devem desempenhar nas reuniões da igreja.[43] Na igreja não são a discórdia e as brigas, mas a paz e a subordinação, que devem determinar o clima no qual os cristãos celebram a ceia do Senhor, adoram a Deus, profetizam e oram.[44]

Concordo com Warren Wiersbe quando ele diz que o termo *silêncio* é uma tradução infeliz, pois dá a impressão de que as mulheres cristãs não devem jamais abrir a boca dentro da igreja. Trata-se do mesmo termo traduzido por *manso* em 1Timóteo 2.2. Algumas mulheres estavam abusando da liberdade que haviam encontrado em Cristo e tumultuavam os cultos com suas interrupções. É a esse problema que Paulo se refere em sua admoestação.[45] Kelly diz que, como se esperava das mulheres silêncio na sinagoga judaica, há evidências de que um novo espírito de emancipação se espalhava nas novas congregações cristãs. Em 1Coríntios 11.4-15, Paulo requer que as mulheres que oravam em voz alta nas reuniões usassem o véu. Em 1Coríntios 14.33-36, ele proíbe totalmente as mulheres de se dirigirem à congregação. A insistência de Paulo em repetir essa questão talvez seja devido a uma suspeita de que os mestres do erro em Éfeso estavam explorando a disposição das mulheres com tendências religiosas para reivindicarem o que ele considerava ser um destaque impróprio para elas.[46] Os falsos mestres prometem às mulheres uma liberdade superior, que as liberta do matrimônio, da intimidade sexual com o marido e da função de gerar filhos (4.3).

Hans Bürki é enfático em afirmar que não se pode deduzir destas palavras de Paulo que a mulher não deva ensinar em hipótese alguma. Não apenas nas primeiras cartas, mas também nas pastorais, ensinar é evidentemente um direito e um dever da mulher (Tt 2.3-5; 2Tm 1.5; 3.15).[47]

John Stott entende que as instruções de Paulo neste texto focam apenas o princípio universal da submissão feminina à "liderança" masculina.[48] Hendriksen afirma que, nesse sentido, esta palavra de Paulo às mulheres expressa um sentimento de terna simpatia. Quer dizer: que a mulher não entre na esfera de atividade para a qual Deus não a destinou. Assim como a ave não deve viver sob a água nem o peixe sobre a terra seca, também a mulher não deve desejar exercer autoridade sobre o homem ensinando-o no culto público.[49] Stott ainda explica esse ponto, como segue:

> Assim como os homens devem orar em santidade, amor e paz, mas não necessariamente levantando as mãos ao fazerem isso; e tal como as mulheres devem adornar-se com modéstia, decência e boas obras, mas não necessariamente abstendo-se de todo tipo de penteado com tranças, de ouro e pérolas; assim também as mulheres devem submeter-se à liderança dos homens, não procurando reverter as funções devidas a cada sexo, mas sem que isso necessariamente as impeça de ensinar a eles.[50]

Em quarto lugar, *respeitar as autoridades. – E não permito que a mulher ensine, nem exerça autoridade de homem; esteja, porém, em silêncio...* (2.12-15). É notório nas Escrituras que a mulher pode ensinar. O derramamento do Espírito foi prometido aos filhos e às filhas (Jl 2.18-30). Quando esta profecia se cumpriu no Pentecostes, havia no Cenáculo algumas mulheres. Todos os que estavam no Cenáculo, inclusive as mulheres, passaram a falar das grandezas de Deus (At 1.14; 2.1-3). Havia profetisas na igreja primitiva (At 21.8,9). As mulheres podiam orar no culto público e também profetizar (1Co 11.5). As mulheres mais velhas devem ensinar as mais jovens (Tt 2.3,4). Timóteo foi ensinado em sua casa por sua mãe, Eunice, e sua avó, Loide (2Tm 1.5; 3.15). Não há nenhuma proibição bíblica de uma mulher piedosa instruir um homem (At 18.24-28). A questão em tela é que a mulher não deve, no culto público, ocupar a posição de liderança do homem e exercer autoridade sobre os homens.

Paulo usa três argumentos para fundamentar sua exortação.

Em primeiro lugar, *a criação*. – *Porque, primeiro, foi formado Adão, depois, Eva* (2.13). Dos homens e mulheres de seus dias, Paulo se volta para Adão e Eva. Primeiro Adão foi formado, depois Eva. Esse é o mesmo argumento usado em outra epístola (1Co 11.1-10). Não se trata aqui de superioridade, pois tanto o homem como a mulher foram criados à imagem e semelhança de Deus (Gn 2.7) e ambos são redimidos pela fé em Cristo (Gl 3.28). A questão aqui é de autoridade, ou seja, de funcionalidade no corpo: o homem foi criado primeiro; portanto, o homem é o cabeça da mulher.

Em segundo lugar, *a queda*. – *E Adão não foi iludido, mas a mulher, sendo enganada, caiu em transgressão* (2.14). Satanás enganou a mulher e a levou a pecar (Gn 3.1-24; 1Co 11.3); porém, o homem pecou deliberada e conscientemente. Concordo com a alegação de Erdman de que Paulo não quer dizer que a mulher seja mental, moral ou espiritualmente inferior ao homem.[51] Nem Paulo está sugerindo aqui que as mulheres são mais ingênuas que os homens e, portanto, mais susceptíveis à queda.[52] A explicação popular dada a isso é que a mulher se expôs na queda por ser naturalmente propensa ao engano e, por causa disso, ela não deve ensinar os homens. Segundo John Stott, há uma objeção fatal a esse argumento. Se as mulheres são por natureza crédulas, elas deveriam ser desqualificadas para ensinar de maneira geral, e não apenas aos homens, uma vez que Paulo se refere ao papel especial que as mulheres exercem no ensino de crianças (5.10; 2Tm 1.5; 3.15) e de outras mulheres mais jovens (Tt 2.3ss). Concordo com Stott quando ele diz que o mais provável é que o ponto essencial com respeito à participação de Eva na queda não foi o fato de ela ter sido enganada, mas de ter tomado uma iniciativa indevida, usurpando assim a autoridade de Adão e invertendo os papéis atribuídos a cada um deles (Gn 3.6,17).[53]

Em terceiro lugar, *a missão no lar. – Todavia, será preservada através de sua missão de mãe, se ela permanecer em fé, e amor, e santificação, com bom senso* (2.15). Carl Spain afirma que a salvação da mulher em 2.15 está relacionada ao seu reconhecimento da sã doutrina em seu ministério como esposa e mãe. Sua esperança não está em usurpar a autoridade dos homens como instrutoras públicas na assembleia geral, nem em desprezar a prioridade dada por Deus aos homens no sentido de dirigir os assuntos públicos da igreja.[54]

É provável que este texto esteja relacionado à promessa de que o Salvador seria *nascido de mulher* (Gn 3.15), fato que se cumpriu na plenitude dos tempos (Gl 4.4). Nessa mesma linha de pensamento, John Stott corrobora com as seguintes palavras:

> A melhor maneira de entender o texto é que as mulheres seriam salvas através do nascimento de um Filho. Anteriormente, neste capítulo, o "único mediador entre Deus e os homens" foi identificado como sendo "o homem Cristo Jesus" (2.5), o qual, é claro, tornou-se um ser humano por ter "nascido de mulher". Além disso, no contexto das referências feitas por Paulo à criação e à queda, reportando-se a Gênesis 2 e 3, enquadra-se muito bem uma referência adicional à futura redenção através da semente da mulher, reportando-se a Gênesis 3.15. A serpente tinha enganado a mulher; sua descendência derrotaria a serpente.[55]

Concluímos este capítulo dizendo que, em vez de lutarem para mandar na igreja, as mulheres deveriam cuidar do lar e ter filhos para a glória de Deus (5.14). As mulheres piedosas têm uma congregação dentro do lar que precisa de seu ensino e sua influência.

NOTAS DO CAPÍTULO 3

[1] RIENECKER, Fritz; ROGERS, Cleon. *Chave linguística do Novo Testamento grego*. São Paulo: Vida Nova, 1985, p. 458.
[2] BÜRKI, Hans. "Cartas a Timóteo." In: *Cartas aos Tessalonicenses, Timóteo, Tito e Filemom*, p. 194.
[3] Ibid., p. 195.
[4] HENDRIKSEN, Guillermo. *1 y 2 Timoteo y Tito*, p. 110.
[5] Ibid., p. 111.
[6] BARCLAY, William. *I y II Timoteo, Tito y Filemon*, p. 68.
[7] Ibid., p. 69.
[8] HENDRIKSEN, Guillermo. *1 y 2 Timoteo y Tito*, p. 112.
[9] CALVINO, Juan. *Comentarios a las epístolas pastorales de San Pablo*, p. 64.
[10] WIERSBE, Warren W. *Comentário bíblico expositivo*, p. 281.
[11] BARCLAY, William. *I y II Timoteo, Tito y Filemon*, p. 63.
[12] ERDMAN, Charles. *Las epístolas pastorales a Timoteo y Tito*, p. 32,
[13] KELLY, John N. D. *I e II Timóteo e Tito: introdução e comentário*, p. 67.
[14] HENDRIKSEN, Guillermo. *1 y 2 Timoteo y Tito*, p. 114.
[15] Ibid., p. 117.

[16] ERDMAN, Charles. *Las epístolas pastorales a Timoteo y Tito*, p. 33.
[17] SPAIN, Carl. *Epístolas de Paulo a Timóteo e Tito*, p. 45.
[18] BÜRKI, Hans. "Cartas a Timóteo." In: *Cartas aos Tessalonicenses, Timóteo, Tito e Filemom*, p. 198.
[19] RIENECKER, Fritz; ROGERS, Cleon. *Chave linguística do Novo Testamento grego*, p. 459.
[20] HENDRIKSEN, Guillermo. *1 y 2 Timoteo y Tito*, p. 119.
[21] BARCLAY, William. *I y II Timoteo, Tito y Filemon*, p. 72.
[22] HENDRIKSEN, Guillermo. *1 y 2 Timoteo y Tito*, p. 119.
[23] KELLY, John N. D. *I e II Timóteo e Tito: introdução e comentário*, p. 69.
[24] STOTT, John. *A mensagem de 1 Timóteo, Tito e Filemom*, p. 80.
[25] KELLY, John N. D. *I e II Timóteo e Tito: introdução e comentário*, p. 69.
[26] SPAIN, Carl. *Epístolas de Paulo a Timóteo e Tito*, p. 48.
[27] HENDRIKSEN, Guillermo. *1 y 2 Timoteo y Tito* , p. 121-122.
[28] WIERSBE, Warren W. *Comentário bíblico expositivo*, p. 282.
[29] BÜRKI, Hans. "Cartas a Timóteo." In: *Cartas aos Tessalonicenses, Timóteo, Tito e Filemom*, p. 201.
[30] Ibid., p. 202.
[31] BARCLAY, William. *I y II Timoteo, Tito y Filemon*, p. 74-77.
[32] STOTT, John. *A mensagem de 1 Timóteo, Tito e Filemom*. 2004, p. 72-73.
[33] Ibid., p. 72-79.
[34] BARCLAY, William. *I y II Timoteo, Tito y Filemon*, p. 76.
[35] STOTT, John. *A mensagem de 1 Timóteo, Tito e Filemom*. 2004, p. 78.
[36] WIERSBE, Warren W. *Comentário bíblico expositivo*, p. 282.
[37] Ibid., p. 283.
[38] STOTT, John. *A mensagem de 1 Timóteo, Tito e Filemom*. 2004, p. 81.
[39] HENRY, Matthew. *Comentário bíblico Matthew Henry: Atos a Apocalipse*. Rio de Janeiro: CPAD, 2010, p. 872-873.
[40] WIERSBE, Warren W. *Comentário bíblico expositivo*, p. 528.
[41] STOTT, John. *A mensagem de 1 Timóteo, Tito e Filemom*. 2004, p. 82.
[42] Ibid., p. 83.
[43] KELLY, John N. D. *I e II Timóteo e Tito: introdução e comentário*, p. 71.
[44] BÜRKI, Hans. "Cartas a Timóteo." In: *Cartas aos Tessalonicenses, Timóteo, Tito e Filemom*, p. 204.
[45] WIERSBE, Warren W. *Comentário bíblico expositivo*, p. 283-284.
[46] KELLY, John N. D. *I e II Timóteo e Tito: introdução e comentário*, p. 71.
[47] BÜRKI, Hans. "Cartas a Timóteo." In: *Cartas aos Tessalonicenses, Timóteo, Tito e Filemom*, p. 204.
[48] STOTT, John. *A mensagem de 1 Timóteo, Tito e Filemom*. 2004, p. 84-85.

[49] HENDRIKSEN, Guillermo. *1 y 2 Timoteo y Tito*, p. 127.
[50] STOTT, John. *A mensagem de 1 Timóteo, Tito e Filemom*. 2004, p. 85.
[51] ERDMAN, Charles. *Las epístolas pastorales a Timoteo y Tito*, p. 37.
[52] WIERSBE, Warren W. *Comentário bíblico expositivo*, p. 284.
[53] STOTT, John. *A mensagem de 1 Timóteo, Tito e Filemom*. 2004, p. 78-79.
[54] SPAIN, Carl. *Epístolas de Paulo a Timóteo e Tito*, p. 56.
[55] STOTT, John. *A mensagem de 1 Timóteo, Tito e Filemom* 2004, p. 86.

Capítulo 4

Os atributos da liderança da igreja
(1Tm 3.1-16)

DEPOIS DE TRATAR da correta postura de homens e mulheres no culto público, Paulo passa a falar sobre as qualificações da liderança da igreja.

Nos versículos 1-13, o apóstolo aborda os predicados do presbítero e do diácono e, nos versículos 14-16, traz uma profunda definição da igreja, bem como de Jesus, seu Redentor.

O que significa o episcopado (3.1)

À guisa de introdução, duas verdades devem ser destacadas com relação ao descrito no primeiro versículo do capítulo: *Fiel é a palavra: se alguém aspira ao episcopado, excelente obra almeja* (3.1).

Em primeiro lugar, *o episcopado é um ministério, e não um cargo*. Do ponto de vista divino, o episcopado é um chamado, uma vocação, um ministério concedido pelo próprio Espírito Santo. Do ponto de vista humano, o episcopado pode ser desejado com legitimidade. O chamado divino, mediante a convicção interna, referendada pelo testemunho externo, atesta a legitimidade do ministério. Ninguém deve exercer a liderança sem ter convicção de que este é um chamado de Deus; por outro lado, ninguém deve fazê-lo sem uma profunda aspiração. Nenhuma pessoa deve exercer a liderança espiritual da igreja por constrangimento (1Pe 5.2).

Glenn Gould alerta que a palavra *episcopado* é um tanto enganosa para os leitores de hoje, porque para nós tem conotação eclesiástica. Desejar este cargo seria buscar promoção no ministério cristão, enquanto o apóstolo está dizendo que a ambição digna é desejar um lugar de serviço, e não de promoção.[1]

Em segundo lugar, *o episcopado é uma obra, e não um posto de privilégio*. Aspirar ao episcopado é abraçar uma obra excelente. O episcopado não é uma plataforma de privilégios, mas um campo de trabalho árduo. É um chamado para o serviço, e não para o estrelato. O episcopado é mais serviço e menos *status*. É trabalho, mais do que honra. É dedicação da vida, do tempo, dos talentos e dos dons a Deus e seu povo.

O Novo Testamento usa os termos bispo e presbítero como intercambiáveis (At 20.17,28). O presbítero é o ancião; o bispo é o supervisor. A palavra *presbítero* tem mais que ver com a pessoa, e o termo *bispo* está mais ligado à função. Barclay corrobora: "A erudição moderna é praticamente unânime em sustentar que, na igreja primitiva, o *presbyteros* e o *episkopos*, o ancião e o bispo, eram uma e a mesma pessoa".[2] O apóstolo Paulo e Barnabé estabeleceram presbíteros nas igrejas fundadas na primeira viagem missionária (At 14.23). Mais tarde, Tito é orientado a eleger presbíteros nas igrejas de Creta (Tt 1.5). Agora Paulo instruirá Timóteo sobre as qualificações dos presbíteros (3.1-7).

As qualificações do presbítero (3.2-7)

Das quinze qualificações exigidas para um homem ocupar o presbiterato da igreja, apenas uma se refere à habilidade de ensino. Nas palavras de Erdman, a maioria são qualificações morais e apenas uma está relacionada à habilidade intelectual.[3] Na verdade, os requisitos para ocupar uma posição de liderança na igreja exigem excelência moral mais que intelectual. As qualificações estão relacionadas com a personalidade, o caráter e o temperamento da pessoa. São uma espécie de catálogo de virtudes em contraposição ao catálogo de vícios descritos em 2Timóteo 3.2-5. Destacaremos algumas áreas importantes que devem ser observadas quando da escolha da liderança espiritual da igreja.

Vida familiar

Com respeito à família do presbítero, dois pontos merecem destaque.

O presbítero precisa ter uma única esposa. – *É necessário, portanto, que o bispo seja [...] esposo de uma só mulher...*(3.2). O que essa afirmação significa? Em primeiro lugar, não significa três coisas: 1) não significa que um homem solteiro esteja impedido de exercer o presbiterato; 2) também não significa que um homem que ficou viúvo e se casou novamente esteja impedido de ser presbítero; 3) finalmente, não significa que um homem divorciado, cujo divórcio ocorreu por infidelidade ou abandono do cônjuge, esteja impedido de exercer esse sagrado ministério. Warren Wiersbe é da opinião de que um pastor, presbítero ou bispo (termos sinônimos) não deve ser divorciado e casado segunda vez, pois isso o desqualificaria para o exercício de sua função.[4] Nessa mesma linha, Charles Erdman defende que Paulo está se referindo aqui a um novo casamento após um divórcio. Isso poderia gerar mal-entendidos e suspeitas das quais um oficial da igreja deveria estar livre.[5]

O que significa, então, que o presbítero deve ser esposo de uma só mulher? Significa duas coisas: 1) um presbítero não pode ser polígamo, ou seja, ter mais de uma mulher; 2) um presbítero não pode ser infiel à sua mulher, ou seja, não pode ser um adúltero. Nas palavras de Hendriksen: "O presbítero deve ser um homem de moralidade inquestionável, inteiramente fiel e leal à sua esposa. Não entra, à maneira dos pagãos, em uma relação imoral com outra mulher".[6] Nessa mesma linha de pensamento, para Barclay isto significa que o líder cristão deve ser um marido fiel, que preserve o matrimônio em toda a pureza.[7]

O presbítero precisa liderar sua casa. – E *que governe bem a sua própria casa, criando os filhos sob disciplina, com todo o respeito (pois, se alguém não sabe governar a própria casa, como cuidará da igreja de Deus?)* (3.4,5). O primeiro rebanho do presbítero é sua família. Se ele fracassa em cuidar de sua casa, está desqualificado para cuidar da casa de Deus. Se não cria os filhos no temor do Senhor, não é capaz de exortar os filhos dos demais crentes. Se os próprios filhos não lhe obedecem nem o respeitam, dificilmente sua igreja lhe obedecerá e respeitará sua liderança.[8] John Stott diz corretamente que o pastor é chamado a exercer liderança em duas famílias, a dele e a de Deus, e a primeira é onde ele é treinado para poder atuar na segunda.⁹ Hans Bürki alerta que, se as famílias, mesmo as famílias nucleares de nosso tempo, não forem mais centros espirituais e locais de treinamento do amor experimentado de Deus, as igrejas se tornarão desertas, apesar de todo o ativismo. Por isso, cuidar das igrejas significa construir antes de tudo famílias saudáveis na fé.¹⁰

Área financeira

No que se refere ao trato do dinheiro e bens, o presbítero não pode ser um homem avarento (3.3). Avareza é o apego ao dinheiro. É amar o lucro mais que a Deus. É estar apegado ao dinheiro mais que ao ministério. É lidar com os outros interessado nos bens que eles possuem em vez de lutar pelo bem das outras pessoas.

É triste ver quantos líderes religiosos fazem da igreja uma empresa particular. Transformam o evangelho em um produto, o púlpito em um balcão, os crentes em consumidores e o templo em uma praça de negócio. O vetor desses líderes avarentos é o lucro.

O apóstolo Pedro exortou os presbíteros a não pastorearem o rebanho de Deus por sórdida ganância (1Pe 5.2). Paulo testemunhou aos presbíteros de Éfeso que não cobiçou deles prata, nem ouro, nem vestes (At 20.33). Quem ama o dinheiro não consegue amar a Deus e quem não ama a Deus não pode apascentar suas ovelhas (Jo 21.15-17).

Relacionamentos interpessoais

Quatro coisas devem ser aqui destacadas no que tange ao relacionamento do presbítero com outra pessoas.

O presbítero não pode ser violento (3.3). A palavra grega *plektes,* traduzida por "violento", significa "golpeador". Um presbítero é um pastor que busca as ovelhas para apascentá-las, e não para golpeá-las. Um presbítero não pode agredir as pessoas com palavras e atitudes. Não pode ser rude com as ovelhas. O presbítero é alguém que atrai as pessoas por sua doçura e graça. As pessoas correm para ele na hora da aflição. Uma pessoa violenta agride, humilha e machuca os outros.

O presbítero precisa ser cordato (3.3). A palavra grega *epiekes,* traduzida por "cordato", significa amável. Uma pessoa cordata luta pela paz. É um pacificador. É um construtor de pontes, e não um cavador de abismos. Não espalha boatos, mas promove reconciliação. Não atiça o fogo da contenda, mas apaga as chamas da malquerença. Está sempre pronto a perdoar os erros dos outros e a considerar as melhores intenções, em vez de julgar descaridosamente suas ações.

O presbítero precisa ser inimigo de contendas (3.3). A palavra grega *amachos,* traduzida por *inimigo de contendas,* significa sem inclinação para a luta.[11] Não basta ao presbítero não criar contendas; ele não pode ser passivo diante delas. O líder cristão é inimigo de contendas. É um homem engajado na promoção da paz. Suas palavras e atitudes são cuidadosamente pensadas para não colocar uma pessoa contra a outra. Warren diz que quem tem pavio curto normalmente não tem um ministério longo.[12]

O presbítero precisa ser hospitaleiro (3.2). A palavra grega *filoxenos,* traduzida por *hospitaleiro,* significa literalmente amigo dos estrangeiros. O presbítero deve ter o coração aberto, o bolso aberto e a casa aberta. É amigo dos estrangeiros. Tem prazer em receber as pessoas em sua casa e ajudá-las em suas necessidades. É importante ressaltar que no primeiro século não existia um sistema organizado de bem-estar social. Os hotéis e as pensões eram escassos e muito caros. Os missionários itinerantes careciam da hospitalidade dos crentes para realizar sua obra. A hospitalidade era uma virtude recomendada na igreja primitiva (Rm 12.12,13; Hb 13.2; 1Pe 4.9; 3Jo 5-8).

Reputação pessoal

Em termos da reputação do presbítero diante da sociedade, duas virtudes são aqui mencionadas.

O presbítero precisa ser irrepreensível (3.2). Kelly diz corretamente que o catálogo de virtudes do presbítero começa com um requisito que a tudo abrange. Uma pessoa irrepreensível é aquela que não apresenta nenhum defeito óbvio de caráter ou de conduta, na vida passada ou presente, que os maliciosos, seja de dentro, seja de fora da igreja, possam explorar para desacreditá-la.[13] A palavra grega *anepileptos*, traduzida por *irrepreensível*, refere-se a uma posição que não está exposta a ataque, a uma vida que não está exposta a censura.[14] Uma pessoa irrepreensível não é a mesma coisa que uma pessoa perfeita; trata-se de alguém que tem uma vida coerente no lar, na igreja, no trabalho, na sociedade. É um homem que não tem duas caras nem duas almas. Não tem vida dupla. É uma pessoa plenamente confiável. De acordo com Hendriksen, a palavra *irrepreensível* pode ser traduzida também por inexpugnável. Os inimigos podem assacar contra o presbítero toda sorte de acusações, mas ele sairá ileso, pois não apenas *tem* uma boa reputação, mas também a *merece*.[15] Nessa mesma linha de pensamento, Warren Wiersbe diz que a palavra *irrepreensível* significa literalmente "sem ter por onde pegar", ou seja, não deve haver em sua vida nada que Satanás ou um incrédulo possa usar como um motivo de criticar ou atacar a igreja.[16]

O presbítero precisa ter bom testemunho dos de fora (3.7). Embora o presbítero exerça seu ministério entre os domésticos da fé, seu testemunho transborda além das fronteiras da igreja. Sua vida fora dos portões não é diferente daquela vivida dentro da família e da igreja.

Domínio próprio

Destacamos aqui quatro virtudes relacionadas ao domínio próprio.

O presbítero precisa ser temperante (3.2). A palavra grega *nefalios*, traduzida por "temperante", significa sóbrio, atento, vigilante. A temperança tem que ver com o domínio dos impulsos, quer na área sexual, quer na da bebida.

O presbítero precisa ser sóbrio (3.2). A palavra grega *sophron*, traduzida por "sóbrio", significa prudente, sensato ou disciplinado. A sobriedade é a virtude em que o homem se coloca acima das paixões e dos desejos e tem completo domínio sobre os desejos sensuais. Refere-se a seus gostos e hábitos físicos, morais e mentais. Seus prazeres não são primariamente os dos sentidos, como acontece com os bêbados, mas os prazeres da alma.[17] Barclay diz que o homem que é *sophron* é aquele em cujo coração Cristo reina de maneira suprema.[18]

O presbítero precisa ser modesto (3.2). A palavra grega *kosmios*, traduzida por "modesto", significa ordenado, honesto, decoroso. É o homem no qual se unem força e beleza. Um homem modesto é despojado de vaidade, avesso à soberba. Concordo com Barclay quando ele diz que o líder da igreja deve ser um homem *sophron*, alguém que controle seus instintos, paixões e desejos; também deve ser *kosmios*, alguém cujo controle interno se transforme em beleza externa; o líder deve ser um homem em cujo coração reine o poder de Cristo e em cuja vida resplandeça a beleza de Cristo.[19]

O presbítero precisa ser controlado quanto à bebida alcoólica (3.3). Um presbítero não pode ser um beberrão. A embriaguez não combina com o ministério do pastoreio. O mesmo apóstolo que orientou Timóteo a beber um pouco de vinho por motivos terapêuticos (5.23) agora declara que um presbítero dado ao vinho não está apto para a liderança da igreja de Deus. John Stott tem razão em dizer que o álcool é depressivo. Entorpece e prejudica nossa faculdade de julgamento. Portanto, ensinar e ingerir bebidas alcoólicas são duas coisas que não andam de mãos dadas.[20] Sacerdotes (Lv 10.1ss), reis (Pv 31.4ss), magistrados (Is 5.22,23) e profetas (Is 28.7ss) eram proibidos de beber vinho no exercício de suas funções.

Maturidade espiritual

Falando em termos espirituais, *o presbítero não pode ser novo convertido, imaturo na fé*. – *Não seja neófito, para não suceder que se ensoberbeça e incorra na condenação do diabo* (3.6). Um presbítero precisa ser alguém sólido na fé, firme na doutrina e experimentado na vida.

A imaturidade espiritual é o portal da soberba, e a soberba é o solo escorregadio onde o diabo derruba muitos líderes.

Área pedagógica

Em termos de sua responsabilidade para com o desenvolvimento de seus liderados, *o presbítero precisa ser apto para ensinar* (3.2). A palavra grega *didaktikos*, traduzida por *apto para ensinar*, significa "com habilidade e aptidão para ensinar". Para isto, o presbítero precisa ter compromisso com a Palavra (At 20.20-27) e afadigar-se na Palavra e no ensino (5.17).

O mestre ensina o significado da verdade cristã. É um estudioso que se esmera tanto no estudo como no ensino. E ensina tanto pela palavra como pelo exemplo. Ensina tanto com palavras como por obras.

As qualificações dos diáconos (3.8-13)

Depois de elencar as virtudes que devem ornar a vida do presbítero, Paulo passa a falar sobre os atributos dos diáconos. Muitas das qualificações dos diáconos são as mesmas dos presbíteros.

O diácono, *diákonos,* é o servo que coopera com aqueles que se dedicam à oração e ao ministério da Palavra. Os primeiros diáconos foram nomeados assistentes dos apóstolos. Há dois ministérios na igreja: a diaconia das mesas (At 6.2,3) e a diaconia da Palavra (At 6.4), a ação social e a pregação do evangelho.

O ministério das mesas não substitui o ministério da Palavra, nem o ministério da Palavra dispensa o ministério das mesas. Nenhum dos dois ministérios é superior ao outro. Ambos são ministérios cristãos que exigem pessoas espirituais, cheias do Espírito Santo, para exercê-los. A única diferença está na forma que cada ministério assume, exigindo dons e chamados diferentes.

Quais são as qualificações dos diáconos? As quatro qualificações que se seguem tratam do comportamento, da fala, do uso do álcool e da atitude em relação ao dinheiro. Esses quatro atributos revelam que os diáconos devem ter controle de si mesmos.[21]

Respeitáveis (3.8a). Os diáconos precisam ser dignos de respeito, ter caráter impoluto, vida irrepreensível e conduta ilibada.

De uma só palavra (3.8b). Os diáconos precisam ser verdadeiros, íntegros em suas palavras e consistentes em sua vida. Não são boateiros dados a mexericos. Não dizem uma coisa aqui e outra acolá. Não são maledicentes nem jogam uma pessoa contra a outra. Suas palavras têm peso. Eles são absolutamente confiáveis no que dizem.

Não inclinados a muito vinho (3.8c). Os diáconos devem ser cheios do Espírito (At 6.3), e não cheios de vinho (Ef 5.18). Quem é governado pelo álcool não pode administrar a casa de Deus.

Não cobiçosos de sórdida ganância (3.8d). Os diáconos lidam com as ofertas do povo de Deus e administram os recursos financeiros da igreja na assistência aos necessitados. Não podem ser como um Judas Iscariotes que rouba a bolsa. Não podem cobiçar o que devem repartir. Não podem desejar para si o que deve entregar para os outros. Hendriksen observa oportunamente que a fala de Paulo aqui difere do que ele diz no versículo 3. Um homem que ama o dinheiro não é necessariamente um larápio. A ênfase neste versículo 8 é de alguém que furta, que abraça uma boa causa movido pelo amor à vantagem material. É o homem de espírito mercenário que se entrega por inteiro na busca de riquezas, ansioso por aumentar suas posses sem importar se os métodos são justos ou maus.[22]

Íntegros na teologia e na vida. – *Conservando o mistério da fé com consciência limpa* (3.9). O termo "mistério" significa "verdades outrora ocultas, mas agora reveladas por Deus".[23] Os diáconos precisam compreender a doutrina cristã, crer na doutrina cristã e viver a doutrina cristã. Sua vida, sua família e seu ministério precisam ser pautados pela Palavra de Deus.

Provados e experimentados (3.10). Os candidatos ao diaconato precisam ser primeiramente experimentados, passando por tempo probatório. O treinamento precede a escolha e a ordenação. Primeiro a prova, depois o exercício do ministério. Warren Wiersbe lança luz sobre este assunto quando escreve:

> Convém notar que vários líderes mencionados nas Escrituras foram provados antes como servos. José foi um servo no Egito durante treze anos antes de se tornar o segundo no poder sobre aquela terra. Moisés cuidou de ovelhas durante quarenta anos antes de ser chamado por Deus. Josué foi servo de Moisés antes de se tornar seu sucessor. Davi cuidava das ovelhas de seu pai quando Samuel o ungiu rei de Israel. Até mesmo Jesus veio como servo e trabalhou como carpinteiro; e o apóstolo Paulo fazia tendas. Primeiro um servo; depois um líder.[24]

Auxiliados por colaboradoras fiéis. – Da mesma sorte, quanto a mulheres, é necessário que sejam elas respeitáveis, não maldizentes, temperantes e fiéis em tudo (3.11). Kelly diz que a expressão *da mesma sorte quanto a mulheres* demonstra, de todos os pontos de vista, que Paulo não pode, numa passagem que se ocupa com grupos especiais, estar injetando uma referência às mulheres da congregação em geral.[25]

Há três interpretações deste versículo. 1) Paulo se refere aqui a diaconisas. 2) Paulo se refere às esposas dos diáconos. 3) Paulo se refere a colaboradoras dos diáconos, mas mulheres não ordenadas ao diaconato. Subscrevo essa terceira posição. Nessa mesma linha de pensamento, Hendriksen diz corretamente que a seção a respeito dos diáconos se vê interrompida por uma passagem que apresenta as qualificações no caso das *mulheres*. A sintaxe mostra claramente que estas mulheres não são "as esposas dos diáconos" nem "todas as mulheres adultas da igreja". A construção do texto mostra que são três grupos distintos: O bispo deve ser. Igualmente os diáconos devem ser. Semelhantemente, as mulheres devem ser. Um e o mesmo verbo coordena os três: o bispo, os diáconos e as mulheres. Por isso, considera-se que essas mulheres prestam um serviço especial na igreja, como os presbíteros e os diáconos. Elas compõem um grupo em si, ou seja, não são as esposas dos diáconos nem todas as mulheres que pertencem à igreja.[26] Essas santas mulheres eram ajudantes dos diáconos na assistência aos pobres e necessitados. Elas prestavam um serviço auxiliar. Concordo com Warren Wiersbe quando diz que não é necessário ter um cargo para ter um ministério e exercer um dom.[27]

Essas mulheres auxiliares deviam ter as mesmas qualificações dos diáconos, e o apóstolo Paulo destaca quatro virtudes que devem ornar sua vida: ser respeitáveis, não maldizentes, temperantes e fiéis em tudo. Ou seja, essas mulheres devem ser cuidadosas com respeito à conduta, à língua, ao temperamento e ao testemunho.

Fiéis à esposa e líderes da família. – *O diácono seja marido de uma só mulher e governe bem seus filhos e a própria casa* (3.12). Os diáconos precisam ser fiéis à esposa e ser líderes espirituais de sua casa. Devem ensinar seus filhos e educá-los nos caminhos de Deus. Sua vida e sua família são a base do seu ministério diaconal.

Dedicados ao serviço. – *Pois os que desempenharem bem o diaconato alcançam para si mesmos justa preeminência e muita intrepidez na fé em Cristo Jesus* (3.13). O diaconato não é uma plataforma de privilégios, mas de serviço. Não é um cargo a ser ocupado, mas um ministério de serviço aos outros. Aqueles que se esmeram no ministério de servir aos homens em nome de Deus, recebem de Deus a recompensa.

Concluo com as palavras de Stott:

> Está claro que as qualificações para o episcopado e para o diaconato são muito semelhantes. São as qualificações básicas que todos os líderes cristãos devem ter. Colocando as duas listas lado a lado, podemos notar

que há quatro áreas principais a serem investigadas. Com respeito à própria pessoa, o candidato tem de ter domínio próprio e maturidade, inclusive nas áreas da bebida, do dinheiro, do temperamento e da língua; com respeito a seus relacionamentos, ele tem de ser hospitaleiro e amável; com respeito aos de fora, muito respeitado; e com relação à fé, apegar-se firmemente à verdade e ter o dom de poder ensiná-la.[28]

Os atributos da igreja de Deus (3.14,15)

Depois de tratar das qualificações dos presbíteros e dos diáconos, Paulo passa a falar sobre os atributos da igreja de Deus. O propósito do apóstolo é orientar o jovem pastor Timóteo acerca do correto procedimento na casa de Deus. Timóteo deve saber supervisionar o culto e a eleição de oficiais. Stott tem razão em dizer que, se as instruções dos apóstolos com respeito a doutrina, ética, unidade e missão da igreja tivessem sido dadas apenas sob a forma oral, a igreja teria ficado como um viajante sem mapa ou como uma embarcação sem leme. Contudo, pelo fato de as instruções apostólicas terem sido dadas por escrito, sabemos algo de que de outro modo não teríamos tido conhecimento; ou seja, qual deve ser a conduta das pessoas na igreja.[29]

Duas verdades importantes acerca da igreja são colocadas em relevo.

Em primeiro lugar, *a igreja é a morada do Deus vivo*. – *Escrevo-te estas coisas, esperando ir ver-te em breve; para que, se eu tardar, fiques ciente de como se deve proceder na casa de Deus, que é a igreja do Deus vivo...* (3.14,15a). A igreja é a casa de Deus, a morada do Altíssimo, o santuário do Espírito. Deus habita na igreja. Nós, povo de Deus, somos sua habitação (1Co 3.16; 6.19; 2Co 6.16). Aquele que nem o céu dos céus pode conter habita em nós, frágeis vasos de barro. Deus mandou fazer um santuário para habitar no meio do povo (Êx 25.8). Depois, o templo foi edificado, e Deus habitou no templo. Na plenitude dos tempos, o Verbo se fez carne e habitou entre nós (Jo 1.14). Agora, Deus habita na igreja.

A palavra grega *oikos*, traduzida por *casa*, mostra que a igreja é uma família. Se a igreja não é um grupo de irmãos, então não é uma verdadeira igreja.[30] A palavra *oikos* pode significar tanto o edifício quanto a família que ocupa o edifício. A igreja é a casa de Deus nos dois sentidos. Ela é tanto a morada de Deus (1Co 3.16) quanto a família de Deus (3.15).[31]

Em segundo lugar, *a igreja é a coluna e baluarte da verdade* (3.15b). – ... *coluna e baluarte da verdade*. A igreja é fundamento da verdade na medida em que se baseia em Cristo, pois ele é o fundamento da igreja (1Co 3.11). O próprio Cristo é a verdade (Jo 14.6).

William Barclay explica que a palavra *coluna* tinha um significado muito importante na cidade de Éfeso, onde Timóteo era pastor. A maior glória de Éfeso era o templo de Diana (At 19.28). Esse templo era uma das sete maravilhas do mundo antigo. Uma de suas características eram suas colunas. Havia nesse templo 127 colunas jônicas de mais de 18 metros de altura, cada uma das quais havia sido presente de um rei. Todas eram feitas de mármore, e algumas continham pedras preciosas incrustadas ou estavam cobertas de ouro.

A ideia nesta passagem é que o dever da igreja é levantar a verdade de tal forma que todos a vejam.[32] A palavra grega *hedraioma*, traduzida por *baluarte*, significa aquilo que sustenta um edifício. O baluarte mantém o edifício em equilíbrio e intacto. O baluarte é o fundamento.[33]

A igreja é comparada com uma coluna e um fundamento. Como a coluna sustenta o teto e como o fundamento sustenta toda a estrutura da casa, assim a igreja sustenta a gloriosa verdade do evangelho no mundo. A igreja sustenta a verdade por ouvi-la e obedecer-lhe (Mt 13.9), por usá-la corretamente (2Tm 2.15), por guardá-la no coração (Sl 119.11), por defendê-la (Fp 1.16), por proclamá-la (Mt 28.18-20).[34]

Analisando essas duas metáforas, John Stott assevera que a igreja tem dupla responsabilidade em relação à verdade. Primeiro, como fundamento, sua função é sustentar a verdade com firmeza, de tal forma que ela não caia por terra sob o peso de falsos ensinos. Segundo, como coluna, tem a função de mantê-la nas alturas, de modo que não fique escondida do mundo. Sustentar com firmeza a verdade é a defesa e a confirmação do evangelho; mantê-la bem alto é a proclamação do evangelho. A igreja é chamada para esses dois ministérios.[35] Há uma estreita conexão entre a igreja e a verdade. A igreja depende da verdade para sua existência, e a verdade depende da igreja para sua defesa e proclamação.[36]

Os atributos do Redentor da igreja (3.16)

Paulo conclui este capítulo com um hino de exaltação a Jesus: *Evidentemente, grande é o mistério da piedade: Aquele que foi manifestado na carne foi justificado em espírito, contemplado por anjos, pregado entre os gentios, crido no mundo, recebido na glória* (3.16). Que todo o sistema da verdade cristã é uma revelação divina, e não uma invenção humana, isso o afirma Paulo ao chamá-lo *mistério da piedade*.[37] Cristo é chamado aqui de *o mistério da piedade* porque só podemos conhecê-lo pelo fato de ele ter se revelado, e mesmo assim jamais poderemos conhecê-lo plenamente, pois seu caráter e suas obras transcendem nossa capacidade de compreensão.[38] O Redentor da igreja é imensuravelmente grande, e essa grandeza é manifestada neste hino da igreja primitiva. Hans Bürki destaca que o capítulo não termina com o olhar sobre a igreja, mas com um hino para Cristo. É em direção desse hino que tudo aponta; a primeira e a última coisa não é a igreja, mas Cristo; não o corpo, mas o cabeça. No entanto, ambos formam uma unidade da forma que os versículos 15 e 16 os conectam.[39]

Hendriksen diz que as seis linhas deste hino de adoração de Cristo começam com uma linha sobre o humilde nascimento de Cristo e terminam com uma referência à sua gloriosa ascensão. Há aqui contrastes interessantes. A carne débil é contrastada com o espírito poderoso; os anjos celestiais são contrastados com as nações terrenas; e o mundo inferior é contrastado com a glória de cima. Seis declarações são aqui enfatizadas.

Jesus foi manifestado na carne. Jesus vestiu pele humana. e o Verbo se fez carne. Ele nasceu de mulher na plenitude dos tempos (Gl 4.4). Hendriksen diz que seu autoencobrimento voluntário foi ao mesmo tempo uma autorrevelação.[40] Paulo se refere aqui à perfeita humanidade de Cristo.

Jesus foi justificado em espírito. Embora nem todos os homens tenham reconhecido sua glória, pois ele foi desprezado pelos homens, Jesus foi plenamente vindicado pelo Espírito. Sua perfeita justiça, bem como suas reivindicações acerca de sua pessoa e de sua obra foram plenamente estabelecidas. O Espírito foi o agente de sua concepção. Jesus foi revestido com o Espírito no seu batismo e, cheio do Espírito, enfrentou vitoriosamente a tentação no deserto. Pelo poder do Espírito Santo, realizou seu ministério e ressuscitou dentre os mortos. Esta frase destaca, portanto, a perfeição espiritual de Jesus.

Jesus foi contemplado por anjos. Os anjos participaram efetivamente da vida e do ministério de Jesus, em seu nascimento, em sua tentação, em seu ministério, em sua agonia, em sua ressurreição e em sua ascensão. Os anjos precederão sua segunda vinda e rodearão seu trono para glorificá-lo pelos séculos eternos.

Jesus foi pregado entre os gentios. Antes de sua ascensão, o Cristo ressurreto deu à igreja a Grande Comissão (Mt 28.18-20). Aqui está a Grande Demanda (v. 18), a Grande Comissão (v. 19) e a Grande Presença (v. 20). O mesmo Cristo que foi rejeitado e desprezado, agora começa a ser proclamado em todas as nações.[41]

Jesus foi crido no mundo. Porque Jesus foi pregado entre os gentios, pessoas de todas as tribos, raças, povos e línguas começaram a adorá-lo como seu Senhor e Salvador, como havia sido previsto (Sl 72.8-11,17; Gn 12.3; Am 9.11,12; Mq 4.12).[42] Pessoas de todas as nações são transformadas à sua imagem e preparadas para seu serviço.[43]

Jesus foi recebido na glória. O mesmo Jesus que ouviu os gritos ensandecidos da multidão: *Crucifica-o, crucifica-o*, agora vê os céus abrindo seus portais para recebê-lo. Ao entrar na glória o vitorioso Rei, os céus prorromperam em cânticos efusivos, proclamando: *Digno é o Cordeiro...* (Ap 5.11,12).

Notas do capítulo 4

1. GOULD, J. Glenn. *As epístolas pastorais*, p. 468.
2. BARCLAY, William. *I y II Timoteo, Tito y Filemon*, p. 79.
3. ERDMAN, Charles. *Las epístolas pastorales a Timoteo y a Tito*, p. 39.
4. WIERSBE, Warren W. *Comentário bíblico expositivo*, p. 285-286.
5. ERDMAN, Charles. *Las epístolas pastorales a Timoteo y a Tito*, p. 40.
6. HENDRIKSEN, Guillermo. *1 y 2 Timoteo y Tito*, p. 140.
7. BARCLAY, William. *I y II Timoteo, Tito y Filemon*, p. 85.
8. WIERSBE, Warren W. *Comentário bíblico expositivo*, p. 287.
9. STOTT, John. *A mensagem de 1 Timóteo, Tito e Filemom*, p. 97.
10. Bürki, Hans. "Cartas a Timóteo." In: *Cartas aos Tessalonicenses, Timóteo, Tito e Filemom*, p. 213.
11. BARCLAY, William. *I y II Timoteo, Tito y Filemon*, p. 93.
12. WIERSBE, Warren W. *Comentário bíblico expositivo*, p. 287.
13. KELLY, John N. D. *I e II Timóteo e Tito: introdução e comentário*, p. 77.
14. BARCLAY, William. *I y II Timoteo, Tito y Filemon*, p. 84.
15. HENDRIKSEN, Guillermo. *1 y 2 Timoteo y Tito*, p. 139.
16. WIERSBE, Warren W. *Comentário bíblico expositivo*, p. 285.
17. HENDRIKSEN, Guillermo. *1 y 2 Timoteo y Tito*, p. 141.
18. BARCLAY, William. *I y II Timoteo, Tito y Filemon*, p. 89.
19. Ibid., p. 90.
20. STOTT, John. *A mensagem de 1 Timóteo, Tito e Filemom*, p. 95.
21. Ibid., p. 100.
22. HENDRIKSEN, Guillermo. *1 y 2 Timoteo y Tito*, p. 151.
23. WIERSBE, Warren W. *Comentário bíblico expositivo*, p. 288.
24. Ibid, p. 288.
25. KELLY, John N. D. *I e II Timóteo e Tito: introdução e comentário*, p. 84.
26. HENDRIKSEN, Guillermo. *1 y 2 Timoteo y Tito*, p. 152.
27. WIERSBE, Warren W. *Comentário bíblico expositivo*, p. 289.
28. STOTT, John. *A mensagem de 1 Timóteo, Tito e Filemom*, p. 101.
29. Ibid., p. 102-103.
30. BARCLAY, William. *I y II Timoteo, Tito y Filemon*, p. 97.
31. STOTT, John. *A mensagem de 1 Timóteo, Tito e Filemom*, p. 103.
32. BARCLAY, William. *I y II Timoteo, Tito y Filemon*, p. 98.
33. Ibid., p. 98.
34. HENDRIKSEN, Guillermo. *1 y 2 Timoteo y Tito*, p. 157.
35. STOTT, John. *A mensagem de 1 Timóteo, Tito e Filemom*, p. 105.
36. Ibid.
37. ERDMAN, Charles. *Las epístolas pastorales a Timoteo y a Tito*, p. 48.

[38] HENDRIKSEN, Guillermo. *1 y 2 Timoteo y Tito*, p. 160.
[39] BÜRKI, Hans. "Cartas a Timóteo." In: *Cartas aos Tessalonicenses, Timóteo, Tito e Filemom*, p. 224.
[40] HENDRIKSEN, Guillermo. *1 y 2 Timoteo y Tito*, p. 161.
[41] Ibid., p. 162.
[42] Ibid.
[43] ERDMAN, Charles. *Las epístolas pastorales a Timoteo y a Tito*, p. 50.

Capítulo 5

Fidelidade às Escrituras em tempos de apostasia
(1Tm 4.1-16)

O APÓSTOLO PAULO, depois de falar sobre as qualificações dos líderes da igreja, volta sua atenção para o caráter e a obra do próprio ministro num contexto de deletéria influência dos falsos mestres.

O capítulo 3 termina afirmando que a igreja é a coluna e baluarte da verdade, e o capítulo 4 começa dizendo que os falsos mestres estão entregues à sua mentira.

Dois pontos são destacados neste quarto capítulo.

O perigo das falsas doutrinas (4.1-5)

As falsas doutrinas têm um poder mais destrutivo que a perseguição. A sedução da serpente é mais letal que o rugido do leão. Alguns pontos são aqui ressaltados.

Em primeiro lugar, *o tempo em que as falsas doutrinas surgem*. – *Ora, o Espírito afirma expressamente que, nos últimos tempos, alguns apostatarão da fé...* (4.1a). O mesmo Espírito que havia inspirado Paulo a alertar os presbíteros de Éfeso acerca da chegada dos falsos mestres (At 20.29,30), agora leva Paulo a alertar Timóteo, pastor da igreja de Éfeso, de que esse tempo chegaria e o resultado seria a apostasia de alguns. O mesmo Espírito que revela o mistério da beatitude desvenda também o poder opositor dos espíritos aliciadores. O Espírito da profecia revela tanto o mistério de Deus como o poder mentiroso do mal.[1] A expressão *últimos tempos* não se refere apenas a um período escatológico do fim, mas compreende todo o período da era cristã, inaugurado por Jesus em sua primeira vinda e que se consumará na segunda.[2] Esse tempo do fim será caracterizado pela manifestação de falsos profetas (Mt 24.11) e falsos cristos que enganarão muitos (Mc 13.22), culminando na apostasia e na manifestação do homem da iniquidade (2Ts 2.4).

Em segundo lugar, *a fonte da qual procedem as falsas doutrinas*. – *... por obedecerem a espíritos enganadores e a ensinos de demônios* (4.1b). Ao único Espírito Santo se contrapõem muitos espíritos não santos; à única doutrina saudável, muitas doutrinas prejudiciais.[3] Quem está por trás das heresias são os espíritos enganadores, os próprios demônios. Os falsos mestres são inspirados por demônios, assim como os apóstolos eram inspirados pelo Espírito de Deus. Satanás tem seus próprios ministros e suas próprias doutrinas. As Escrituras descrevem o diabo não apenas como tentador, atraindo pessoas para o pecado, mas também como enganador, seduzindo as pessoas para o erro.[4] Os falsos mestres são escravizadores dos homens e difamadores de

Deus. Eles proíbem o que Deus ordena e escravizam pessoas, impondo a elas restrições que Deus nunca fez.

Em terceiro lugar, *o resultado que as falsas doutrinas promovem.* – *... alguns apostatarão da fé...* (4.1a). A apostasia corresponde a um período em que a pessoa peca cada vez mais e obedece cada vez menos. Envolve um arrepender-se do arrependimento.[5] É o abandono deliberado da verdade da fé cristã. Hans Bürki diz que o verbo aqui designa a apostasia intencional e consciente.[6] A apostasia não pode ser confundida com perda da salvação, nem nega a perseverança dos santos. Significa que, por influência dos falsos mestres, muitas pessoas que outrora professaram a fé cristã abandonarão essa confissão. Pessoas que fizeram parte da igreja visível e assumiram um compromisso público deixarão as fileiras da fé cristã. Porém, nem todos os que fazem parte da igreja visível são membros da igreja invisível. Nem todos os que têm seus nomes inscritos no rol de membros da igreja têm seus nomes inscritos no livro da vida. William MacDonald ressalta que uma parte das pessoas que frequentam a igreja é formada por pessoas apenas nominalmente cristãs.[7]

Os falsos mestres que promovem a apostasia engrossam as fileiras das seitas, e muitos estão infiltrados nas igrejas, lecionando nas cátedras dos seminários e subindo aos púlpitos para destilar seu veneno letal.

Em quarto lugar, *a atitude com que os falsos mestres promovem as falsas doutrinas.* – *Pela hipocrisia dos que falam mentiras e que têm cauterizada a própria consciência* (4.2). Os falsos mestres são como atores: representam um papel diferente da vida real. Falam uma coisa e fazem outra. São hipócritas. Não revelam sua verdadeira identidade; ao contrário, escondem-se atrás de máscaras para enganar as pessoas. Os falsos mestres possuem não apenas um ensino errado, mas também uma motivação errada; não apenas uma teologia falsa, mas também uma vida torta. O problema dos falsos mestres não é apenas teológico, mas também moral. A consciência dos falsos mestres não tem sensibilidade espiritual; está cauterizada, anestesiada, amortecida. Eles perderam o temor de Deus e não sentem mais tristeza pelo pecado. São insensíveis.

A palavra grega *kauteriazo*, traduzida por *cauterizada*, traz a ideia de "marcar com um ferro quente", como era feito no passado com os escravos e hoje com o gado, deixando o lugar queimado insensível. Concordo com Warren Wiersbe, quando diz que "sempre que alguém afirma com os lábios o que nega com a vida, a consciência é amortecida".[8]

Em quinto lugar, *as distorções que as falsas doutrinas provocam. Que proíbem o casamento e exigem abstinência de alimentos que Deus criou para serem recebidos, com ações de graças, pelos fiéis e por quantos conhecem plenamente a verdade; pois tudo que Deus criou é bom; nada é recusável, porque, pela palavra de Deus e pela oração, é santificado* (4.3-5). Os falsos mestres fizeram um casamento espúrio do judaísmo radical com a filosofia grega, ou seja, do legalismo judaico com o ascetismo oriental. Desse concubinato surgiu uma perigosa heresia, chamada gnosticismo, que mais tarde devastou a igreja. Os gnósticos consideravam a matéria essencialmente má. Por isso, negavam as doutrinas da criação, encarnação e ressurreição. Oscilavam entre o ascetismo e a libertinagem.

Aqui, os gnósticos estão proibindo o que Deus aprova. Privam as pessoas de privilégios concedidos por Deus. O que eles proíbem? Casamento e consumo de alimentos. Porém, Deus instituiu o casamento para a propagação da vida humana (Gn 1.28) e a comida para o sustento (Gn

9.3).⁹ John Stott diz que o casamento e a alimentação se relacionam com os dois apetites básicos do corpo humano: o sexo e a fome. São também naturais, embora sejam passíveis de abuso quando degeneram em lascívia e glutonaria.¹⁰

Concordo com Hans Bürki quando ele diz que a criação não apenas era boa "antes da queda", mas ainda agora é boa e bela, assim como são bons os alimentos ou frutos da terra que crescem e agora podem ser consumidos com alegre gratidão. O mesmo vale para o ser humano caído que foi criado à imagem de Deus. Quem renega sua origem, quem contesta o direito de autoria de Deus sobre sua vida e a manutenção de sua existência por meio do pão de cada dia, recusa expressar a Deus a gratidão que lhe é devida, dando a si mesmo e à sua laboriosidade a honra subtraída de Deus. Não agradecer ao Criador transforma a criatura em ferramenta do pecado.¹¹

A referência aqui à consagração *pela palavra de Deus e pela oração* não quer dizer que as boas dádivas de Deus precisam ser purificadas. O que Paulo quer dizer é que, ao recebermos "tudo" o que Deus criou com fé e com uma atitude de oração, somos capazes de aproveitar suas dádivas com uma consciência limpa.¹²

Vamos detalhar um pouco esses dois itens proibidos pelos falsos mestres.

Primeiro, o casamento. Como pode alguém desprezar o casamento, e ainda proibi-lo, quando ele foi instituído por Deus? O casamento não foi apenas instituído, mas também ordenado por Deus (Gn 2.18; 2.24; Mt 19.3-12; 1Co 7.1-24). O sexo no casamento é legítimo, puro, santo e deleitoso. Uma pessoa não se torna menos espiritual por se casar. Portanto, o celibato compulsório é uma distorção da verdade de Deus e está em desacordo com a vontade de Deus. Quando os falsos mestres ensinam que é errado casar-se, estão abertamente se rebelando contra a Palavra de Deus e atacando o que Deus ordenou.

Segundo, os alimentos. Lawrence Richards diz que, embora a lei do Antigo Testamento exigisse a abstenção de certos alimentos, essa lei não continha nada do espírito do ascetismo exibido pelos falsos mestres que infestavam a igreja primitiva. Deus já havia ordenado que tudo o que se move e vive, isso seria dado como alimento (Gn 9.3). A proibição de alimentos criados por Deus e ordenados por Deus era uma prática ascética. O ascetismo é uma tentativa de substituir a dependência de Deus pelo esforço humano, e essa tentativa é de inspiração demoníaca.[13] Abster-se de alimentos é privar-se de um prazer e de uma necessidade. A espiritualidade da dieta não tem amparo nas Escrituras. Uma pessoa não se torna menos ou mais espiritual por comer ou deixar de comer.

Não é o que entra pela boca que contamina o homem, mas o que sai do seu coração. Jesus afirmou que todos os alimentos são puros (Mc 7.14-23). Essa mesma verdade foi ensinada a Pedro (At 10) e reafirmada por Paulo (1Co 10.23-33). Um alimento pode até ser rejeitado por motivos clínicos, mas jamais por motivos espirituais. Só os fracos na fé abstêm-se de comer carne e se entregam a uma dieta vegetariana (Rm 14.1,2). Charles Erdman diz que fazer distinção entre classes de alimentos no sentido de acreditar que usar uma e deixar de usar outra é sinal de graça espiritual, não é apenas absurdo; é também prova de ascetismo espúrio, inclusive de incredulidade demoníaca.[14] Obviamente não podemos usar da nossa liberdade de comer e beber para ferir a consciência dos fracos (Rm 14.13-23).

Precisamos transformar nossas refeições numa expressão de culto a Deus (1Co 10.31).

O valor da sã doutrina (4.6-16)

Paulo contrasta o falso mestre com o verdadeiro pastor e mostra qual é o papel do pastor que vela pela verdade e cuida do rebanho. Algumas verdades são aqui ressaltadas.

Em primeiro lugar, *a atitude do pastor em relação às falsas doutrinas* (4.6,7). O pastor da igreja precisa se posicionar em relação aos falsos mestres e seus ensinos perigosos. O que ele deve fazer?

Alertar a igreja sobre os enganos das falsas doutrinas. – Expondo estas coisas aos irmãos, serás bom ministro de Cristo Jesus... (4.6a). O pastor precisa advertir o povo de Deus do perigo das falsas doutrinas e da apostasia religiosa.[15] Hoje muitos pastores não gostam de combater as heresias. Outros não têm apreço pelo estudo das doutrinas da graça. Alguns dizem que a doutrina divide e que só deveríamos falar sobre aquilo que nos une. Mas o pastor precisa alertar a igreja sobre o perigo das heresias e sobre a influência perigosa dos falsos mestres. Expondo e alertando os irmãos sobre esses perigos é que ele se torna um bom ministro de Cristo. A palavra *ministro* usada por Paulo aqui é *diakonos*, aquele que serve os convidados à mesa como um garçom. Somos mordomos de Deus, e o alimento que servimos a seu povo é a Palavra.

Seguir a sã doutrina. – ... alimentado com a palavra da fé e da boa doutrina que tens seguido (4.6b). Primeiro o pastor se alimenta da Palavra, depois alimenta o rebanho com a Palavra. Primeiro o pastor é um estudante que aprende a Palavra, depois é um mestre que ensina a Palavra. Primeiro ele se debruça sobre os livros, depois se levanta diante da congregação para ensinar. Só ensina bem quem aprende bem. Não podemos combater a heresia se não estivermos calçados com a sã doutrina. Não podemos combater o erro se não estivermos comprometidos com a verdade. Não podemos enfrentar as falsas doutrinas se não permanecermos na sã doutrina. Cabe ao ministro do evangelho combater a mentira e promover a verdade; denunciar as heresias e anunciar o evangelho; desmascarar as falsas doutrinas e colocar em relevo a sã doutrina. Concordo com William Barclay quando ele diz que ninguém pode dar sem receber. Aquele que deseja ensinar deve estar continuamente aprendendo. Não é certo que, quando alguém chega a ser mestre, deixe de aprender. O homem deve nutrir sempre sua mente antes de poder nutrir a mente dos demais.[16]

Rejeitar as fábulas . Mas rejeita as fábulas profanas e de velhas caducas... (6.7). A palavra grega *modos,* traduzida aqui por *fábulas,* provavelmente corresponde a histórias míticas que foram forjadas sobre fatos do Antigo Testamento, mormente as genealogias, mais tarde transformadas em intricados sistemas filosóficos gnósticos.[17] Os falsos mestres gostam de introduzir novidades estranhas às Escrituras em seus ensinos. Eles se apartam da verdade e preenchem esse espaço com esquisitices como fábulas profanas alimentadas por pessoas ensandecidas. Essas tradições apóstatas estão em oposição às Escrituras e as contradizem. Essa mesma advertência é feita a Tito (Tt 1.14) e repetida a Timóteo (1.4; 2Tm 4.4).

Em segundo lugar, *o compromisso do pastor em relação à piedade pessoal. – ... exercita-te, pessoalmente, na piedade. Pois o exercício físico para pouco é proveitoso, mas a piedade para tudo é proveitosa, porque tem a promessa da vida que agora é e da que há de ser* (4.7b,8). Das quinze ocorrências da palavra grega *eusebeia*, traduzida por "piedade", e *eusebes*, traduzida por *piedoso*, no Novo Testamento, treze se encontram nas cartas pastorais, nove delas em 1Timóteo. Trata-se de um conceito importante nesta epístola. O sentido básico da palavra é "reverência" e "respeito".[18]

O pastor é um homem que precisa ter reverência a Deus. A vida do pastor é a vida de seu ministério. Sua piedade pessoal é o fundamento de sua autoridade espiritual. Mais que o cuidado com o corpo, o pastor precisa cuidar de sua reputação. Concordo com Warren Wiersbe quando ele diz que precisamos cuidar do corpo, e o exercício faz parte desse cuidado. O corpo é o templo do Espírito Santo que deve ser usado para sua glória (1Co 6.19,20) e também é instrumento para seu serviço (Rm 12.1,2). Contudo, os exercícios beneficiam o corpo apenas nesta vida, ao passo que o exercício da piedade é proveitoso hoje e na eternidade. Paulo não pede que Timóteo escolha entre um e outro. Devemos praticar ambos, mas nos concentrar na piedade.[19]

Em terceiro lugar, *a atitude do pastor em relação à obra de Deus. – Fiel é esta palavra e digna de inteira aceitação. Ora, é para esse fim que labutamos e nos esforçamos sobremodo, porquanto temos posto a nossa esperança no Deus vivo, Salvador de todos os homens, especialmente dos fiéis. Ordena e ensina estas coisas* (4.9-11). O pastorado é uma vocação para o trabalho, e não uma plataforma de privilégios. O pastor não pode ser um homem indolente e preguiçoso, mas deve labutar e empenhar-se ao máximo em sua tarefa de levar as pessoas a Cristo, a fim de que recebam a vida eterna, a vida que é agora, mas se projeta para a eternidade. O ministro do evangelho deve esforçar-se como um atleta na Olimpíada, esticando todos os seus músculos na bendita carreira da pregação do evangelho.

Os falsos mestres pregavam uma mensagem seletiva. Somente algumas pessoas tinham acesso à salvação, por meio de um conhecimento esotérico e místico. Paulo refuta os falsos mestres mostrando que Jesus é o Salvador de todos os homens, ou seja, de pessoas procedentes de todos os estratos sociais e de todas as culturas. Nas palavras de William MacDonald, Jesus é o potencial Salvador de todos os homens e o real Salvador de todos aqueles que creem.[20] Obviamente, Paulo não está ensinando aqui o universalismo. Deus é o Salvador de todos os homens sem acepção, e não o Salvador de todos os homens sem exceção. Ralph Earle afirma que Deus é potencialmente o Salvador de todos os homens por causa do Calvário, mas realmente é o Salvador apenas daqueles que creem.[21]

Outra maneira de entendermos o texto é observando que o termo grego *Soter*, traduzido por *Salvador*, não tem aqui a ideia única de Redentor, pois Paulo não subscreve o universalismo. Deus é o Salvador no sentido de provisão e socorro a todos os homens, mas é Salvador no sentido de redenção apenas daqueles que creem.

Em quarto lugar, *o compromisso do pastor de ser exemplo para os fiéis. – Ninguém despreze a tua mocidade; pelo contrário, torna-te padrão dos fiéis, na palavra, no procedimento, no amor, na fé, na pureza* (4.12). Timóteo era jovem, tímido e doente. Por isso, algumas pessoas em Éfeso estavam inclinadas a desprezar sua liderança. Paulo, então, desafia o jovem pastor a não ficar desanimado, mas a se erguer como modelo de maturidade espiritual para todos os fiéis.

Há dois tipos de liderança: a imposta e a adquirida. O líder cristão não pode ser um dominador do rebanho, mas seu modelo (1Pe 5.3). Ele lidera não pela força, mas pelo exemplo. Concordo com William MacDonald quando ele diz que esta ordem de Paulo não significa que Timóteo deveria colocar a si mesmo num pedestal e se considerar imune de críticas. Ao contrário, ele não deveria dar nenhum motivo para alguém condená-lo.[22] Matthew Henry acertadamente destaca que a mocidade não será desprezada se as pessoas não se tornarem desprezíveis por meio da vaidade e insensatez.[23] A palavra grega *neotes,* traduzida por *mocidade,* descreve qualquer pessoa que esteja em idade de prestar serviço militar. Ou seja, indica alguém adulto, mas abaixo dos 40 anos. No mundo antigo, não era esperado que uma pessoa com a idade de Timóteo, provavelmente nos seus 30 anos, tivesse obtido o discernimento e a sabedoria requerida para os líderes.[24]

Paulo elenca cinco áreas em que Timóteo deveria ser exemplo.

Primeiro, na palavra. O líder espiritual não pode tropeçar na própria língua. Seu linguajar precisa ser puro, e suas palavras precisam ser verdadeiras e oportunas. O líder espiritual não pode ser um homem precipitado no falar. Não pode ser maledicente nem usar linguagem profana. Hans Bürki é da opinião de que *palavra* aqui significa a proclamação missionária do evangelho. Constitui a primeira e mais profunda das áreas de incumbência do pastor.[25]

Segundo, no procedimento. A vida do líder é a vida de sua liderança. A vida do líder precisa ser o avalista de suas palavras. Ele deve ser irrepreensível na conduta, em contraposição aos falsos mestres que professam conhecer Deus, mas o negam com suas obras (Tt 1.16). A vida do líder precisa ser consistente com a grandeza do ministério que ele exerce. Concordo com Hans Bürki quando diz que a conduta sublinhará ou riscará a palavra (da proclamação e do testemunho). Quem confessa Deus somente com os lábios, negando-o com as obras, contribui para que o nome de Deus seja blasfemado.[26]

Terceiro, no amor. O amor é o distintivo do cristão, a marca do líder, a evidência mais eloquente de que ele é nascido de Deus e discípulo de Cristo. O líder cristão precisa ter profundo apego pessoal a seus irmãos e genuína preocupação com o seu próximo. A palavra grega *ágape* usada aqui fala de uma benevolência invencível. Se um homem tem *ágape*, não importa o que se lhe faça ou o que se lhe diga, ele buscará sempre o bem. Nunca será mordaz, nem ressentido, nem vingador; nunca se permitirá odiar; nunca se negará a perdoar. Só buscará o bem de seus semelhantes, não importa o que sejam nem como atuem com respeito a ele.[27]

Quarto, na fé. O líder espiritual precisa ter uma fé sem fingimento. Deve confiar em Deus e ser fiel a ele. A fé é a indestrutível fidelidade a Cristo, não importa o que isto lhe custe. É uma fidelidade a Cristo que desafia as circunstâncias.[28]

Quinto, na pureza. Éfeso era um centro de impureza sexual, e o jovem Timóteo enfrentava muitas tentações. Seu relacionamento com as mulheres da igreja deveria ser puro (5.2).[29] A palavra grega *hagneia*, traduzida por *pureza*, cobre, além da castidade em matéria de sexo, a inocência e a integridade de coração. Refere-se à pureza de ato e pensamento.[30]

Em quinto lugar, *o compromisso do pastor em relação às Escrituras* (4.13-15). Em relação à Palavra, Timóteo precisa tomar três medidas.

Primeiro, a leitura pública das Escrituras. – *Até à minha chegada, aplica-te à leitura, à exortação, ao ensino* (4.13). A *leitura* aqui refere-se à leitura pública na congregação local. Isso é o que faziam os sacerdotes de Israel (Ne 8.8). Isso é o que Cristo fez na sinagoga de Nazaré (Lc 4.16). Isso é o que Paulo recomendou que fosse feito nas igrejas (1Ts 5.27; Cl 4.16). Essa é a bem-aventurança descrita em Apocalipse (Ap 1.3; 22.18,19). A Palavra de Deus precisa ser lida nos cultos públicos.

O que se segue à leitura das Escrituras é a exortação e o ensino. A palavra *exortação* traz a ideia de encorajamento e sugere a aplicação da Palavra à vida das pessoas. O *ensino* tem que ver com a exposição sistemática das verdades eternas, instruindo o povo na verdade, alertando-o contra as heresias dos falsos mestres. Este texto pode ser comparado a Neemias 8.8, quando a Palavra foi lida, explicada e aplicada ao povo de Israel. Ler, explicar e aplicar o texto das Escrituras é a essência da pregação expositiva.

Segundo, o exercício do seu dom espiritual. – Não te faças negligente para com o dom que há em ti, o qual te foi concedido mediante profecia, com a imposição das mãos do presbitério (4.14). A palavra grega *carisma,* traduzida aqui por *dom*, é um dom da graça. Denota um revestimento especial do Espírito, capacitando o recipiente a desempenhar alguma função na comunidade.[31] Deus não apenas chamou Timóteo para o ministério, mas também, em sua ordenação ao sagrado ofício, o capacitou para seu exercício, concedendo-lhe os dons do Espírito. Paulo não menciona qual era esse dom, mas possivelmente se referia ao dom de ensino e governo da igreja.

Vale destacar que não é o presbitério que concede dons espirituais. Somente o Espírito Santo tem a competência e a autoridade para distribuir dons (1Co 12). Quando os presbíteros impuseram as mãos sobre Timóteo, estavam reconhecendo publicamente o que o Espírito Santo já havia concedido a ele. Estou de acordo com John Stott no sentido de que um *carisma* não é algo que seja outorgado por Deus de forma permanente e estática; seu vaso humano tem de usá-lo e desenvolvê-lo.[32]

Terceiro, o progresso espiritual. – *Medita estas coisas e nelas sê diligente, para que o teu progresso a todos seja manifesto* (4.15). Não haverá avanço pioneiro nem progresso no ministério sem diligência e total dedicação à obra. A inspiração passa pela transpiração. Fritz Rienecker diz que a mente do obreiro precisa estar imersa no esforço de fazer a obra de Deus como o seu corpo está imerso no ar que respira.[33] Timóteo deveria se concentrar exclusivamente em ser um exemplo para os fiéis, em ensinar publicamente a Palavra de Deus e em exercer seu dom espiritual. As pessoas deveriam ver não apenas sua dedicação, mas também seu constante crescimento.

Em sexto lugar, *o compromisso do pastor de preservar a ortodoxia e a piedade*. – *Tem cuidado de ti mesmo e da doutrina. Continua nestes deveres; porque, fazendo assim, salvarás tanto a ti mesmo como aos teus ouvintes* (4.16). Há duas coisas às quais Timóteo precisa se dedicar: sua vida e a doutrina. Embora a vida decorra da doutrina e a ética cristã seja filha da teologia, Paulo coloca *de ti mesmo* antes *da doutrina*, assim como advertira no passado aos presbíteros de Éfeso em sua mensagem de despedida: *Atendei por vós*; depois *atendei por todo o rebanho* (At 20.28). Se um ministro do evangelho não velar por sua vida, cairá em descrédito. Não podemos separar a ortodoxia da piedade, a doutrina da vida e o credo da conduta. Não basta ser ortodoxo de cabeça e herege de conduta. É uma gritante contradição defender a sã doutrina e viver de forma contrária à sã doutrina. Primeiro, Deus trabalha em nós; depois, através de nós. A prática da Palavra vem antes do progresso na Palavra.

Paulo diz que o cuidado da vida e da doutrina traria a Timóteo salvação, para ele e para seus ouvintes. É importante entender que "salvar" aqui não significa salvação da alma, mas salvar a si mesmo e a seus ouvintes das falsas doutrinas.

Notas do capítulo 5

[1] BÜRKI, Hans. "Cartas a Timóteo." In: *Cartas aos Tessalonicenses, Timóteo, Tito e Filemom*, p. 230-231.
[2] STOTT, John. *A mensagem de 1 Timóteo, Tito e Filemom*, p. 110.
[3] BÜRKI, Hans. "Cartas a Timóteo." In: *Cartas aos Tessalonicenses, Timóteo, Tito e Filemom*, p. 232.
[4] STOTT, John. *A mensagem de 1 Timóteo, Tito e Filemom*, p. 111.
[5] BEEKE, Joel R. *De volta para os braços do Pai.* São Paulo: Vida Nova, 2013, p. 16-17.
[6] BÜRKI, Hans. "Cartas a Timóteo." In: *Cartas aos Tessalonicenses, Timóteo, Tito e Filemom*, p. 232.
[7] MACDONALD, William. *Believer's Bible Commentary*, p. 2091.
[8] WIERSBE, Warren W. *Comentário bíblico expositivo*, p. 292-293.
[9] MACDONALD, William. *Believer's Bible Commentary*, p. 2092.
[10] STOTT, John. *A mensagem de 1 Timóteo, Tito e Filemom*, p. 112.
[11] BÜRKI, Hans. "Cartas a Timóteo." In: *Cartas aos Tessalonicenses, Timóteo, Tito e Filemom*, p. 235.
[12] RICHARDS, Lawrence O. *Comentário histórico-cultural do Novo Testamento.* Rio de Janeiro: CPAD, 2012, p. 471.

¹³ Ibid, p. 471.
¹⁴ ERDMAN, Charles. *Las epístolas pastorales a Timoteo y a Tito*, p. 54.
¹⁵ WIERSBE, Warren W. *Comentário bíblico expositivo*, p. 293.
¹⁶ BARCLAY, William. *I y II Timoteo, Tito y Filemon*, p. 106.
¹⁷ Nota da *Bíblia de Estudo Arqueológico*. São Paulo: Vida, 2013, p. 1956.
¹⁸ STOTT, John. *A mensagem de 1 Timóteo, Tito e Filemom*, p. 117.
¹⁹ WIERSBE, Warren W. *Comentário bíblico expositivo*, p. 294.
²⁰ MACDONALD, William. *Believer's Bible Commentary*, p. 2093.
²¹ EARLE, Ralph. *1 Timothy.* In: *Zondervan NVI Bible Commentary*. Vol. 2. Grand Rapids: Zondervan Publishing House, 1994, p. 902.
²² MACDONALD, William. *Believer's Bible Commentary*, p. 2093.
²³ HENRY, Matthew. *Comentário bíblico Matthew Henry: Atos a Apocalipse*, p. 696.
²⁴ RICHARDS, Lawrence O. *Comentário histórico-cultural do Novo Testamento*, p. 471.
²⁵ BÜRKI, Hans. "Cartas a Timóteo." In: *Cartas aos Tessalonicenses, Timóteo, Tito e Filemom*, p. 245.
²⁶ Ibid, p. 245.
²⁷ BARCLAY, William. *I y II Timoteo, Tito y Filemon*, p. 108.
²⁸ Ibid, p. 108-109.
²⁹ WIERSBE, Warren W. *Comentário bíblico expositivo*, p. 295.
³⁰ RIENECKER, Fritz; ROGERS, Cleon. *Chave linguística do Novo Testamento grego*, p. 465.
³¹ Ibid, p. 465.
³² STOTT, John. *A mensagem de 1 Timóteo, Tito e Filemom*, p. 123.
³³ RIENECKER, Fritz; ROGERS, Cleon. *Chave linguística do Novo Testamento grego*, p. 465.

Capítulo 6

Cuidando de pessoas na igreja
(1Tm 5.1-25)

DEPOIS DE EXORTAR Timóteo a ter cuidado de si mesmo e da doutrina, Paulo o orienta a lidar de forma sábia com as diferentes pessoas e grupos dentro da igreja. O cristianismo não é apenas uma coletânea de dogmas, mas sobretudo o cultivo de relacionamentos saudáveis. A maioria dos pastores enfrenta tensões na igreja por falta de habilidade de relacionar-se com pessoas. Timóteo é instruído a agir de forma criteriosa com os diferentes membros da comunidade, a fim de que a igreja de Deus empregue todo o seu potencial na obra, em vez de desperdiçar suas energias em conflitos internos.

Destacamos a seguir alguns pontos importantes para o cuidado das pessoas na igreja.

Tato ao repreender as pessoas (5.1,2)

Uma das tarefas de um pastor é corrigir as faltas de alguns membros da igreja. Para um pastor lograr êxito na repreensão aos membros da igreja, ele necessita de duas coisas: o conteúdo bíblico e a forma amorosa. Não basta exortar de acordo com a verdade; é preciso também exortar com amor. O pastor precisa ter tato e sensibilidade para lidar com gente. Precisa respeitar a idade das pessoas. Três princípios são ensinados aqui.

Em primeiro lugar, *devemos tratar as pessoas idosas com respeito e ternura.* – *Não repreendas ao homem idoso; antes exorta-o como a pai* [...] *às mulheres idosas, como a mães...* (5.1,2). A palavra grega *presbyteros,* traduzida por "ancião", pode significar tanto uma pessoa mais velha, de idade mais avançada, como aquela que ocupa uma posição de liderança, ou seja, que supervisiona o rebanho. Os mais velhos são passíveis de repreensão, mas, mesmo quando repreendidos, precisam ser tratados com dignidade e afeto. Um pastor sábio dirige-se aos mais velhos, tratando-os como pai e mãe. Se o respeito com as pessoas idosas faz parte da cultura de muitos povos, entre o povo de Deus essa distinção deve ser ainda mais observada. A palavra grega *parakaleo* significa "chamar à parte". O chamar à parte pode ser com o propósito de consolar, exortar, rogar, apelar ou admoestar.[1]

Em segundo lugar, *devemos tratar as pessoas da mesma idade com amor e fraternidade.* – *... aos moços, como a irmãos* [...]; *às moças, como a irmãs...* (5.1,2). Timóteo deveria lidar com os jovens da igreja com grande sensibilidade e tato. Nenhum pastor tem o direito de humilhar as pessoas nem de tratá-las com desrespeito por serem mais jovens. A igreja é a família de Deus, e devemos olhar para as pessoas da nossa idade como irmãos e irmãs.

Em terceiro lugar, *devemos tratar as pessoas do sexo oposto com honra e pureza.* – *... às moças, como a irmãs, com toda a pureza* (5.2). O pastor precisa respeitar as jovens da igreja, tratando-as com honra e pureza. Um pastor que olha para as jovens da igreja com lascívia é um desastre. Um líder cujos olhos são cheios de adultério é como um lobo entre as ovelhas. Muitos pastores têm caído na área moral, por se entregarem a desejos lascivos. O conselho de Paulo nunca foi tão urgente, atual e oportuno!

Critérios para assistir as viúvas necessitadas (5.3-8)

A Palavra de Deus tem princípios claros acerca do cuidado com as viúvas. A igreja não pode negligenciar a assistência aos domésticos da fé, quando estes são necessitados, e ao mesmo tempo não assumir o papel da família, quando esta pode socorrê-los. Nesse sentido, destacamos aqui alguns critérios importantes apontados pelo apóstolo.

Em primeiro lugar, *a igreja precisa assistir as viúvas que não têm amparo da família. Honra as viúvas verdadeiramente viúvas* (5.3). O sustento financeiro pela igreja deve limitar-se às viúvas que são realmente necessitadas (5.3,5,16), ou seja, aquelas que não têm dotes nem parentes para mantê-las.[2] A palavra grega *keras*, traduzida por *viúvas*, significa "despojada, privada (de seu marido; portanto, frequentemente sem meios de sustento)".[3] Havia um grande número de viúvas na igreja de Éfeso. No século III, a igreja em Roma auxiliava 1.500 viúvas carentes. Na época de Crisóstomo, 3.000 viúvas cristãs atuaram no serviço eclesiástico.[4]

Três classes de pessoas eram especialmente cuidadas pelo povo de Deus: as viúvas, os órfãos e os estrangeiros, ou seja, pessoas sem cônjuge, sem pais e sem casa. As Escrituras descrevem Deus como *pai para os órfãos e defensor das viúvas* (Sl 68.5). Dizem ainda que "ele defende a causa do órfão e da viúva e ama o estrangeiro" (Dt 14.28,29; 26.12,13).

Deus proíbe que seu povo aflija os órfãos e as viúvas (Êx 22.22). Um magistrado que oprime as viúvas está sob o juízo divino (Dt 27.19). Os agricultores eram instruídos a reservar um décimo da sua produção para as viúvas e os órfãos, deixando a eles ainda uma parte da colheita (Dt 14.28,29). Os profetas de Deus denunciaram a nação por defraudar as viúvas (Is 1.17,23; Jr 7.5; Ez 22.7; Zc 7.10). Jesus demonstrou compaixão com a viúva de Naim (Lc 7.11,12) e enalteceu a oferta da viúva pobre (Mc 12.41,42), ao mesmo tempo que denunciou os escribas que devoravam as casas das viúvas e se escondiam atrás de uma pecaminosa ostentação religiosa (Mc 12.40).[5] A igreja de Jerusalém nomeou sete homens cheios de sabedoria, cheios de fé e cheios do Espírito Santo para supervisionar a distribuição diária às viúvas (At 6.1-6). Mais tarde, Tiago afirma que uma das evidências da verdadeira religião é *visitar os órfãos e as viúvas nas suas tribulações* (Tg 1.27).

Em segundo lugar, *a igreja não deve ocupar o lugar da família no socorro às viúvas. – Mas, se alguma viúva tem filhos ou netos, que estes aprendam primeiro a exercer piedade para com a própria casa e a recompensar seus progenitores; pois isto é aceitável diante de Deus. Aquela, porém, que é verdadeiramente viúva e não tem amparo espera em Deus e persevera em súplicas e orações, noite e dia* (5.4,5). Uma profissão de fé religiosa que está aquém das normas reconhecidas pelo mundo nada mais é que uma fraude miserável.[6] A igreja não pode aceitar que sua caridade se converta em desculpa para que os filhos se eximam de sua responsabilidade de cuidar dos pais. Os filhos estão moralmente obrigados a cuidar de seus pais na velhice. Em Marcos 7.10-13, Jesus denuncia a deturpação da oferta de Corbã. A palavra Corbã quer dizer "dedicado a Deus" e era empregada quando um homem queria dedicar seus bens à tesouraria do templo. Contudo, por um acordo com os sacerdotes israelitas, ele podia "dedicar" seu dinheiro ou sua propriedade ao mesmo tempo que os desfrutava durante a vida, deixando-os como um legado a serviço do templo. Caso esse homem, segundo a santa obrigação natural e legal, tivesse o dever de manter os pais idosos ou enfermos, os mesmos sacerdotes o impediam de ajudá-los com esses fundos que eram Corbã, para não subtrair o legado do templo. Esse caso suscitou a justa indignação do Senhor, pois, por um ímpio subterfúgio e sob uma aparência de piedade, se violava o quinto mandamento, um dos principais mandamentos de Deus.[7]

O apóstolo Paulo elenca dois motivos pelos quais os filhos e os netos devem cuidar de seus pais e avós. Primeiro, retribuir a eles o bem recebido. Segundo, agradar a Deus. Esse gesto é aceitável diante de Deus. A demonstração de cuidado aos pais e avós traz glória a Deus, conforto à família e edificação à igreja.

Em terceiro lugar, *a igreja não deve cuidar de pessoas que vivem abertamente em pecado.– Entretanto, a que se entrega aos prazeres, mesmo viva, está morta. Prescreve, pois, estas coisas, para que sejam irrepreensíveis* (5.6,7). Algumas viúvas sem amparo da família, sem dotes e sem meios de sustento recorriam à prostituição para sobreviver. Essas mulheres rendidas ao pecado, mesmo vivas, estavam mortas espiritualmente. Assim como Paulo disse que a igreja só deveria amparar as viúvas desassistidas, agora diz que a igreja só deveria amparar as viúvas piedosas. Tanto a condição material, *a necessidade*, como a condição espiritual, *a piedade*, deveriam ser observadas. As viúvas assistidas pela igreja deveriam ser irrepreensíveis (5.7); porém, uma viúva com mentalidade mundana, que satisfaz seus próprios desejos, mesmo viva, está morta, e, por isso, não tem direito às esmolas da igreja.[8]

Em quarto lugar, *a família não deve transferir para a igreja o cuidado de seus familiares. — Ora, se alguém não tem cuidado dos seus e especialmente dos da própria casa, tem negado a fé e é pior do que o descrente* (5.8). Desamparar os membros da família é negar a fé e tornar-se pior do que os incrédulos. O amor aos pais e avós é um sentimento natural, presente em quase todas as culturas. Até mesmo os pagãos, que não conhecem os mandamentos nem a lei de Cristo, reconhecem e estimam as obrigações dos filhos para com os pais.[9] Cuidar dos pais e avós é uma prática universal. Os pagãos, que não têm a luz da verdade bíblica, cuidam de seus pais na velhice. Portanto, deixar de socorrer seus progenitores é um escândalo para o cristão, uma contradição, uma negação do verdadeiro cristianismo.

Hendriksen tem razão em dizer que a negação neste caso não tem sido necessariamente por meio de palavras, senão (o que com frequência é pior) por meio de pecaminosa negligência. A falta de ação positiva, o pecado de omissão, desmente sua profissão de fé (sentido objetivo). Ainda que professe ser um cristão, carece do mais precioso dos frutos que se dá na árvore de uma vida e conduta verdadeira cristã. Carece de amor. Onde falta este bom fruto, não pode haver uma boa árvore.[10]

Paulo utiliza quatro argumentos para destacar que cuidar dos parentes significa aliviar a igreja de uma carga desnecessária. Tratar adequadamente os membros idosos da família significa retribuir a nossos pais (5.4), agradar a Deus (5.4), expressar e não negar a fé (5.8), e não sobrecarregar a igreja (5.16).[11]

A contribuição das viúvas para o ministério da igreja (5.9,10)

Havia na igreja duas listas de viúvas. A primeira lista era formada pelas viúvas necessitadas que precisavam ser assistidas pela igreja. A segunda lista era formada pelas viúvas que deveriam prestar serviço de assistência aos santos. John Stott mostra que o enfoque dado nos versículos 3 a 8 é a manutenção financeira das viúvas, o que em primeira instância é dever de seus parentes e somente se torna obrigação da igreja para aqueles que não têm parentes.

A ênfase agora é sobre as viúvas que deveriam ser arroladas para um trabalho especial na igreja. Essas viúvas assumiam o compromisso de não se casarem (5.12). Por isso, as viúvas mais novas não faziam parte desse rol, mas deveriam se casar e criar filhos (5.14). Essa lista, portanto, não se refere a viúvas que necessitem de sustento, mas das que poderiam prestar serviço ao Senhor.[12] Não se trata da lista de viúvas que devem ser assistidas, mas das viúvas que devem assistir.

John Stott destaca que o primeiro grupo de viúvas devia receber sustento financeiro e o segundo, oportunidades no ministério, ao lado dos presbíteros e diáconos.[13] Timóteo deveria honrar as viúvas que precisam de socorro e arrolar as viúvas que deveriam desempenhar um ministério importante de cooperação na igreja. É provável que esse ministério das viúvas se tenha consolidado na igreja primitiva como é sugerido em Atos 9.36-41. A partir do segundo e, sobretudo, no século III, as viúvas oficialmente constituídas dedicavam-se à oração, davam assistência aos enfermos, cuidavam dos órfãos, visitavam cristãos na prisão; evangelizavam mulheres pagãs e ensinavam as que se convertiam, preparando-as para o batismo.[14]

Quais são os critérios a serem observados no segundo grupo?

Em primeiro lugar, *as viúvas deveriam ter ao menos sessenta anos*. – *Não seja inscrita senão viúva que conte ao menos sessenta anos de idade...* (5.9a). Na Antiguidade, 60 era a idade em que se reconhecia que alguém se tornava um "velho" ou uma "velha", e as paixões sexuais da mulher podiam ser consideradas esvaziadas de seus perigos.[15]

Em segundo lugar, *deveriam ter um só marido*. – *... tenha sido esposa de um só marido* (5.9b). Numa época marcada pela fragilidade do casamento e pela facilidade do divórcio, essas viúvas eram exemplo de pureza e fidelidade conjugal. Obviamente, isso não significa que elas não tenham se casado novamente, uma vez que o próprio apóstolo orienta as viúvas mais novas a se casarem de novo (5.14).

Em terceiro lugar, *deveriam ter a reputação de boas obras*. – *Seja recomendada pelo testemunho de boas obras...* (5.10). Essas mulheres precisavam ter bom testemunho da igreja. Uma igreja cujos membros ou obreiros desfrutam de boa reputação tem credibilidade; por outro lado, nada depõe mais contra uma igreja que ter em seu meio membros e obreiros indignos.[16]

Em quarto lugar, *deveriam ser boas mães*. – *... tenha criado filhos...* (5.10). A criação dos filhos no temor de Deus é um dos mais esplêndidos testemunhos para a sociedade.

Em quinto lugar, *deveriam ser hospitaleiras*. – *... exercido hospitalidade...* (5.10). No mundo antigo, as pousadas eram notoriamente sujas, notoriamente caras e notoriamente imorais. Portanto, aqueles que abriam seu lar aos pregadores itinerantes prestavam um importante trabalho à causa do evangelho.

Em sexto lugar, *deveriam ser humildes.* – *... lavado os pés aos santos...* (5.10). Lavar os pés dos santos era trabalho dos escravos. Era a mais baixa de todas as tarefas. Só as pessoas verdadeiramente humildes tinham essa disposição. Jesus engrandece essa atitude humilde, quando ele mesmo se cingiu com uma toalha e lavou os pés de seus discípulos (Jo 13.4).

Em sétimo lugar, *deveriam prestar auxílio aos necessitados.* – *... socorrido a atribulados...* (5.10). Numa época de intensa perseguição à igreja, muitas mulheres visitavam e socorriam os crentes que padeciam prisões e aflições por causa da fé.

Em oitavo lugar, *deveriam ser altruístas.* – *... se viveu na prática zelosa de toda boa obra* (5.10). A prática desses serviços humildes e altruístas é que qualificava uma viúva para assumir essas atividades de assistência aos santos, na condição de uma obreira designada pela igreja.

Riscos enfrentados por viúvas mais jovens (5.11-16)

Timóteo deveria ser criterioso quanto aos perigos que as viúvas mais jovens enfrentariam.

Em primeiro lugar, *o perigo da quebra dos compromissos.* – *Mas rejeita viúvas mais novas, porque, quando se tornam levianas contra Cristo, querem casar-se, tornando-se condenáveis por anularem o seu primeiro compromisso* (5.11,12). Uma leitura superficial do texto em apreço pode levar o leitor desatento a imaginar que Paulo estivesse entrando em contradição, ao reprovar as viúvas mais jovens por desejarem se casar novamente, ao mesmo tempo que orienta as viúvas mais novas a se casarem (5.14). A questão era a seguinte: algumas viúvas mais novas eram arroladas na lista de obreiras que deveriam se dedicar exclusivamente ao trabalho de assistência aos santos. Porém, depois de firmarem o compromisso, algumas o quebravam e abandonavam o ministério para se casarem. Paulo, então, aconselha a Timóteo não alistar viúvas mais novas no trabalho de assistência aos santos, mas orientá-las a se casarem novamente para criar filhos e serem boas donas de casa.

Em segundo lugar, *o perigo da vida ociosa.* – *Além do mais, aprendem também a viver ociosas, andando de casa em casa; e não somente ociosas...* (5.13a). No mundo antigo as mulheres solteiras ou viúvas tinham muita dificuldade de ganhar a vida honestamente. Não possuíam um ofício ou uma profissão. Muitas mulheres se entregavam à prostituição para buscar o próprio sustento. Há um ditado popular que diz: "O diabo sempre encontra algo que fazer com as mãos ociosas". Matthew Henry tem razão em dizer que dificilmente pessoas ociosas são apenas ociosas; elas aprendem a ser paroleiras e curiosas, a causar confusão entre os vizinhos e a semear discórdias entre os irmãos.[17] Segundo Kelly, as viúvas jovens, ainda ativas e cheias de energia, provavelmente teriam muito tempo livre, e isso certamente as induziria à ociosidade.[18]

Em terceiro lugar, *o perigo da maledicência.* – *... mas ainda tagarelas e intrigantes, falando o que não devem* (5.13b). A tagarelice é um subproduto da vida ociosa. Quem não ocupa as mãos com o trabalho, ocupará a língua com maledicência e boatarias perniciosas. O pecado de falar mal dos irmãos e jogar uma pessoa contra a outra é o que mais Deus abomina.

Em quarto lugar, *o perigo da incontinência.* – *Quero, portanto, que as viúvas mais novas se casem, criem filhos, sejam boas donas de casa e não deem ao adversário ocasião favorável de maledicência. Pois, com efeito, já algumas se desviaram, seguindo a Satanás* (5.14,15). Paulo já havia orientado os solteiros que é melhor casar-se do que viver abrasado (1Co 7.9), e agora orienta as viúvas mais novas a se casarem, para que não sejam tentadas à prática sexual fora do casamento. Há pessoas que têm o dom de permanecerem solteiras (1Co 7.7) e de controle sobre seus impulsos sexuais (1Co 7.1,2,9). Essas pessoas têm mais tempo para se dedicarem à obra de Deus, ao passo que os casados têm seu tempo dividido (1Co 7.32-35). Paulo orienta as viúvas mais jovens a se casarem e terem filhos. De acordo com Kelly, ter filhos satisfará os impulsos instintivos da sua natureza e dirigir um lar absorverá suas energias excedentes.[19]

Em quinto lugar, *o perigo de sobrecarregar a igreja.* – *Se alguma crente tem viúvas em sua família, socorra-as, e não fique sobrecarregada a igreja, para que esta possa socorrer as que são verdadeiramente viúvas* (5.16). Paulo volta a insistir em que somente as viúvas desamparadas devem ser assistidas financeiramente pela igreja (5.3,4,8,16). Aquelas que têm parentes que possam socorrê-las não devem sobrecarregar a igreja. Cada família deve sentir-se responsável por seus parentes. Não é o fato de ser viúva, mas de ser viúva desassistida, que qualifica uma pessoa a receber o auxílio financeiro da igreja. Kelly interpreta a orientação do apóstolo como segue:

> Paulo tem em mente o caso de uma senhora na comunidade que tem uma situação financeira confortável, seja ela mesma casada, solteira ou viúva, cuja casa inclui uma ou mais viúvas, não parentes próximas (aquela situação já foi tratada suficientemente), mas, sim, empregadas ou dependentes ou amigas. Essa mulher crente é exortada a tornar-se responsável pelo bem-estar delas ao invés de entregá-las para a caridade da igreja, que já está sujeita a um número grande demais de pedidos. A razão por que Paulo não impõe a mesma obrigação sobre um homem cristão de posição semelhante deve

ser óbvia. Se semelhante homem fosse solteiro ou viúvo, seria muito impróprio para ele assumir a responsabilidade por um grupo de viúvas; ao passo que, se ele fosse casado, a responsabilidade, em todos os seus aspectos práticos, naturalmente, recairia sobre a sua esposa.[20]

Honra devida aos presbíteros (5.17-22)

Paulo passa a falar sobre os presbíteros da igreja e tem princípios importantes para ensinar.

Em primeiro lugar, *o sustento dos presbíteros*. – *Devem ser considerados merecedores de dobrados honorários os presbíteros que presidem bem, com especialidade os que se afadigam na palavra e no ensino. Pois a Escritura declara: Não amordaces o boi, quando pisa o trigo. E ainda: O trabalhador é digno do seu salário* (5.17,18).

Paulo destaca três verdades aqui.

Primeiro, a posição dos presbíteros. A função deles é presidir, ou seja, exercer liderança nas igrejas locais.

Segundo, a distinção dos presbíteros. Eles têm o papel de presidir, governar e administrar, mas alguns se dedicam exclusivamente ao ministério do ensino; assim temos presbíteros regentes e presbíteros docentes, presbíteros administrativos e presbíteros mestres.[21]

Terceiro, a sustentabilidade dos presbíteros. Naquela época, os presbíteros tinham dedicação exclusiva ao ministério e deveriam ser remunerados de forma digna para desempenharem seu trabalho. Os que presidiam bem e especialmente os que se esmeravam no ensino deviam ser dignos de redobrados honorários.

Tanto a lei do Antigo Testamento como Jesus enfatizam esse princípio do sustento dos obreiros. Aqueles que estão no ministério devem viver do ministério. Embora Paulo tenha preferido não tirar vantagem do direito de ser sustentado (1Co 9.3-18; 1Ts 2.7-9), sempre defendia vigorosamente o direito dos apóstolos e seus assistentes de serem materialmente sustentados pela comunidade (2Co 11.8,9; 12.13).

Os presbíteros fiéis em seu trabalho não deveriam ser apegados ao dinheiro (3.3), mas eram dignos de receber honra e honorários. Com isso, Paulo considera que o pastorado é um ministério remunerado. Da mesma forma que nos dias do Antigo Testamento os sacerdotes eram sustentados a fim de se dedicarem à lei do Senhor (2Cr 31.4), também nos dias do Novo Testamento os pastores devem ser sustentados para que possam devotar-se à obra do evangelho.[22]

Em segundo lugar, *a disciplina dos presbíteros*. – *Não aceites denúncia contra presbítero, senão exclusivamente sob o depoimento de duas ou três testemunhas. Quanto aos que vivem no pecado, repreende-os na presença de todos, para que também os demais temam. Conjuro-te, perante Deus, e Cristo Jesus, e os anjos eleitos, que guardes estes conselhos, sem prevenção, nada fazendo com parcialidade* (5.19-21). A disciplina de um presbítero não pode ser algo leviano, fruto de acusações levianas de bisbilhoteiros inconsequentes ou de descrentes descaridosos.

Calvino diz que não há quem seja mais exposto a calúnias e insultos do que mestres piedosos. Inimigos do evangelho muitas vezes se vingam nos ministros do evangelho. Uma campanha baseada em boatos sujos pode arruinar completamente o ministério de um líder.[23] Somente mediante duas ou três testemunhas uma acusação pode ser formalizada. A disciplina bíblica é uma das marcas da igreja verdadeira. Nesse quesito, a igreja não pode inclinar-se nem para o rigor desmesurado nem para a frouxidão permissiva. Não pode ir além nem ficar aquém. O excesso de disciplina esmaga as pessoas, e a falta as mundaniza. A disciplina é um ato responsável de amor. Tem o propósito de restaurar o caído, e não de destruí-lo. Precisa ser aplicada com temor e imparcialidade, e não com irreverência e partidarismo. Precisa ser feita na luz da verdade, e não sob a penumbra da mentira caluniosa.

A lei já exigia que não se podia condenar ninguém com o testemunho de uma única pessoa (Dt 19.15). Porém, quando uma acusação contra um presbítero procedia de duas ou mais testemunhas e era verdadeira, e além disso o denunciado persistia no pecado, então o faltoso deveria ser corrigido na presença de todos. Pecados públicos devem ser corrigidos publicamente para que haja temor, pois a disciplina visa não apenas a restaurar o faltoso, mas também a prevenir os demais membros do corpo a não caírem no mesmo laço. A igreja nunca pode dar ao mundo a ideia de que está tolerando o pecado. O pecado é maligníssimo. É como um fermento: um pouco leveda a massa toda. Um mau exemplo é devastador na igreja. É como uma laranja podre numa cesta de laranjas saudáveis. Contamina as demais!

Timóteo é exortado a não ter parcialidades na aplicação da disciplina (5.21). A igreja de Deus não pode ter dois pesos e duas medidas. Não pode tratar alguns membros com rigor e outros com complacência. Não pode aplicar a uns o rigor da lei e a outros, regalias e privilégios. Concordo com Stott quando ele diz que um dos piores pecados é o favoritismo e uma das principais virtudes é a imparcialidade.[24]

A vida do líder é a vida de sua liderança, mas os pecados do líder são os mestres do pecado. Os pecados do líder são mais graves, mais hipócritas e mais danosos que os pecados dos demais membros da igreja. São mais graves, porque o líder peca mesmo tendo maior conhecimento. São mais hipócritas, porque o líder convoca o povo a viver em santidade e, muitas vezes, pratica o pecado em secreto. E são mais danosos, porque, quando um líder cai, mais pessoas são atingidas. Daí, os líderes que têm práticas pecaminosas não devem ser ignorados. Na realidade, a posição que ocupam não é um atenuante, mas um agravante. Eles devem ser tratados com mais severidade, como ensinava a lei (Lv 4.22,27). O caso desses líderes não deve ser tratado na presença de poucos (Mt 18.15-17), mas publicamente, ou seja, diante de todo o consistório, para que os demais presbíteros também possam sentir-se cheios de temor piedoso de fazer o mal.[25]

Em terceiro lugar, *a ordenação dos presbíteros. – A ninguém imponhas precipitadamente as mãos. Não te tornes cúmplice de pecados de outrem. Conserva-te a ti mesmo puro* (5.22). Ordenar um presbítero neófito, ou seja, novo na fé, é uma temeridade, tanto para ele como para o rebanho. A quebra desse princípio tem sido devastador em muitas igrejas. Um líder imaturo é um desastre. Um indivíduo ocupar uma posição de liderança na igreja sem maturidade espiritual e sem estabilidade emocional traz graves prejuízos para a igreja de Deus. Há muitos líderes que deveriam estar sendo cuidados, mas estão cuidando do rebanho. Antes que o presbítero possa cuidar de todo o rebanho, precisa primeiro cuidar de si mesmo (At 20.28). Não está qualificado a pastorear os outros aquele que não cuida de sua própria vida. Não está credenciado a ensinar aos outros aquele que não está firmado na verdade. O presbítero precisa ser um obreiro aprovado. Precisa afadigar-se na Palavra. Precisa estar apto a ensinar. Muitos presbíteros são eleitos sem levar em consideração esses preceitos divinos, e o resultado é assaz nocivo à igreja.

Os cuidados do pastor com a saúde (5.23)

O apóstolo Paulo demonstra seu zelo pastoral ao preocupar-se com a saúde de Timóteo. O apóstolo escreve: *Não continues a beber somente água; usa um pouco de vinho, por causa do teu estômago e das tuas frequentes enfermidades* (5.23). É muito comum o obreiro gastar todo o tempo cuidando do rebanho e esquecer-se de si mesmo.

Timóteo era um jovem tímido e doente. Cuidava dos outros, mas estava descuidando de si mesmo. Precisava dar atenção à sua saúde para poder cuidar da igreja. As pressões do ministério são enormes, e Timóteo estava à frente da maior igreja da época, a igreja de Éfeso. Éfeso era a capital da Ásia Menor, uma cidade complexa e com muitos desafios. Os falsos mestres perturbavam a igreja, e Timóteo precisava lidar com essas pressões que vinham de fora e também com as tensões que vinham de dentro da igreja. O desgaste emocional e os reflexos que esse desgaste tinham na saúde de Timóteo levaram Paulo a orientar o jovem pastor a cuidar de sua saúde. O ideal romano era uma mente sã num corpo são.

Kelly afirma que os efeitos benéficos do vinho como remédio contra distúrbios dispépticos, tônico e forma de contrabalançar os efeitos da água impura eram geralmente reconhecidos na Antiguidade.[26] O vinho era usado tanto para doenças físicas como emocionais (Pv 31.6). O pai da medicina, Hipócrates, recomendava doses moderadas de vinho a pacientes para os quais a água sozinha fazia mal ao estômago.[27] Plutarco declara que o vinho é a mais útil das bebidas e o mais agradável dos remédios.[28] Paulo é enfático em dizer que Timóteo, por motivos terapêuticos, deveria usar *um pouco* de vinho, e não *muito* vinho.[29]

É claro que este texto não pode nem deve ser usado para justificar o consumo de álcool. Paulo se refere a cuidados medicinais, e não a uma licença para beber. De acordo com William Barclay, "Paulo simplesmente está dizendo que não há nenhuma virtude em um ascetismo que faz ao corpo mais mal do que bem".[30]

O discernimento do pastor ao fazer julgamentos (5.24,25)

O pastor precisa ter discernimento espiritual, e Paulo orienta Timóteo com as seguintes palavras: *Os pecados de alguns homens são notórios e levam a juízo, ao passo que os de outros só mais tarde se manifestam. Da mesma sorte também as boas obras, antecipadamente, se evidenciam e, quando assim não seja, não podem ocultar-se* (5.24,25). Há pecadores escandalosos que perderam completamente o pudor. Suas obras são notórias. Há aqueles, porém, que agem disfarçadamente e jeitosamente tentam esconder seus malfeitos. Até os pecados praticados às escondidas, sob o manto da escuridão, serão desmascarados e trazidos à luz do dia. Deus não acerta conta com os pecadores todos os dias. Muitas pessoas vivem na prática do pecado e escapam de suas consequências por um tempo. No entanto, até mesmo aqueles pecados cuidadosamente ocultados serão manifestos. A máscara cairá. As trevas não prevalecem sobre a luz. Os ímpios não permanecerão na congregação dos justos. Mesmo que pareçam firmes como carvalhos, serão varridos como a palha.

Na lida pastoral precisamos de discernimento. A maior parte da vida de uma pessoa fica escondida dos nossos olhos. Timóteo deveria dar tempo ao tempo para fazer uma avaliação precisa do caráter das pessoas com quem estava lidando. Aqueles que têm uma personalidade atraente com frequência escondem fraquezas, ao passo que as pessoas que não são atraentes à primeira vista muitas vezes têm pontos fortes escondidos. Timóteo deveria aprender a discernir entre o que se vê e o que não se vê, entre o que está à superfície e o que está escondido, entre o que é aparente e a verdadeira realidade.[31]

Concluo este capítulo com as palavras de John Stott, que afirma que os líderes cristãos precisam ter em seus relacionamentos cinco virtudes: apreciação (reconhecer todo bom desempenho), justiça (não dar ouvidos a acusações sem fundamento), imparcialidade (evitar todo favoritismo), cautela (não tomar decisões precipitadas) e discernimento (ver além do que é aparente e enxergar o coração). Sempre que esses princípios forem observados, erros serão evitados, a igreja será preservada em paz e em amor, e o nome de Deus estará protegido da desonra.[32]

NOTAS DO CAPÍTULO 6

[1] HENDRIKSEN, Guillermo. *1 y 2 Timoteo y Tito*, p. 188.
[2] STOTT, John. *A mensagem de 1 Timóteo, Tito e Filemom*, p. 131.
[3] HENDRIKSEN, Guillermo. *1 y 2 Timoteo y Tito*, p. 190.
[4] BÜRKI, Hans. "Cartas a Timóteo." In: *Cartas aos Tessalonicenses, Timóteo, Tito e Filemom*, p. 256.
[5] STOTT, John. *A mensagem de 1 Timóteo, Tito e Filemom*, p. 129-130.

[6] BARCLAY, William. *I y II Timoteo, Tito y Filemon*, p. 116.
[7] TRENCHARD, Ernest. *Una exposición del evangelio según Marcos*. Madrid: ELB, 1971, p. 85-86.
[8] KELLY, John N. D. *I e II Timóteo e Tito: introdução e comentário*, p. 110.
[9] Ibid, p. 111.
[10] HENDRIKSEN, Guillermo. *1 y 2 Timoteo y Tito*, p. 194.
[11] STOTT, John. *A mensagem de 1 Timóteo, Tito e Filemom*, p. 132.
[12] Ibid., p. 133.
[13] Ibid., p. 130.
[14] FERGUSSON, Everett. *Widows in Encyclopedia of Early Christianity.* Nova York: St. James Press, 1990.
[15] KELLY, John N. D. *I e II Timóteo e Tito: introdução e comentário*, p. 111.
[16] BARCLAY, William. *I y II Timoteo, Tito y Filemon*, p. 120.
[17] HENRY, Matthew. *Comentário bíblico Matthew Henry: Mateus a Apocalipse*, p. 698.
[18] KELLY, John N. D. *I e II Timóteo e Tito: introdução e comentário*, p. 113.
[19] Ibid., p. 114.
[20] Ibid., p. 116-117.
[21] STOTT, John. *A mensagem de 1 Timóteo, Tito e Filemom*, p. 137.
[22] Ibid., p. 138.
[23] Ibid., p. 140.
[24] Ibid., p. 141.
[25] HENDRIKSEN, Guillermo. *1 y 2 Timoteo y Tito*, p. 207.
[26] KELLY, John N. D. *I e II Timóteo e Tito: introdução e comentário*, p. 123.
[27] "De med.". *Antig.* xiii.
[28] "De sanit.". *Praec.* xix.
[29] HENDRIKSEN, Guillermo. *1 y 2 Timoteo y Tito*, p. 210-211.
[30] BARCLAY, William. *I y II Timoteo, Tito y Filemon*, p. 131.
[31] STOTT, John. *A mensagem de 1 Timóteo, Tito e Filemom*, p. 143.
[32] Ibid., p. 143-144.

Capítulo 7

Instruções pastorais à igreja
(1Tm 6.1-21)

A PALAVRA DE DEUS tem diretrizes seguras para o pastor lidar com as diversas pessoas na igreja. Pessoas de idades diferentes, de posição social diferente, com problemas diferentes. No capítulo anterior, vimos como Paulo tratou a questão da ação social na igreja, especialmente no cuidado das viúvas que não tinham suporte financeiro da família. Também vimos como Paulo abordou a questão do sustento, disciplina e ordenação dos presbíteros. Agora, veremos os princípios dados pelo apóstolo aos servos e aos ricos. Também veremos como Paulo orienta Timóteo a lidar com os falsos mestres e o cuidado que deve ter como pastor do rebanho.

Paulo instrui Timóteo a ministrar a diversos grupos na igreja, ao mesmo tempo que se mantém no centro da vontade de Deus.

Os servos cristãos (6.1,2)

Estima-se que, na época em que Paulo escreveu esta epístola, havia mais de 60 milhões de escravos no Império Romano. Muitos deles eram instruídos e cultos, mas não livres. Muitos eram servos domésticos e trabalhadores rurais. Outros eram funcionários, artesãos, professores, soldados e gerentes. Todos, porém, eram considerados por seus senhores meros instrumentos laborais. Gould tem razão em dizer que a instituição escravagista era uma das maldições do mundo antigo e, como ferramentas vivas, os escravos carregavam o Império Romano nas costas.[1] A lei romana não proibia aos senhores de escravos que tratassem mal a seus escravos. Eles podiam ser condenados a trabalhos forçados, encarcerados, açoitados, marcados com ferro em brasa e até crucificados.[2]

De acordo com John Stott, são três as características que definem um escravo: 1) a sua pessoa é propriedade de alguém, de modo que ele pode ser comprado e vendido; 2) a sua vontade está sujeita à autoridade de outra pessoa; 3) o seu trabalho é obtido pela força que o outro lhe impõe.[3]

A fé cristã não atacou frontalmente a escravidão a fim de não criar uma insustentável rebelião social. No entanto, a doutrina apostólica minou a escravidão, ao ensinar que os mercadores de escravos estavam quebrando a lei de Deus (1.10). Isso porque tanto os senhores como os escravos têm o mesmo valor aos olhos de Deus, uma vez que Deus não faz acepção de pessoas (Ef 6.9). Embora os escravos não tivessem nada a reivindicar, Paulo ordena que os senhores tratem seus servos com justiça e equidade (Cl 4.1). A doutrina apostólica afirma claramente que senhores e servos são irmãos em Cristo (6.2; Fm 16) e que, em Cristo, não há escravo nem livre, pois todos são um em Cristo (Gl 3.28). Mesmo que um escravo continue debaixo do jugo de seu senhor, ele é livre em Cristo Jesus (1Co 7.22). Nessa mesma linha de pensamento, Charles Erdman escreveu: "Paulo nem condena a escravidão nem incita a revolução. Ensinou, porém, grandes princípios que atuaram pouco a pouco com passo firme, que aboliram a escravidão e contribuíram para a libertação política e a justiça social".[4]

O evangelho alcançou um grande número de escravos naquela época, os quais faziam parte da família de Deus. Alguns servos, entretanto, usavam de sua liberdade em Cristo para desobedecer ou afrontar seus senhores. Isso era um mau testemunho e criava obstáculos ao avanço da fé cristã. Paulo, então, passa a regulamentar a relação de servos e senhores, mostrando como ela poderia abrir portas ao evangelho em vez de ser um entrave ao testemunho cristão.

O apóstolo Paulo fala sobre dois grupos de servos.

Em primeiro lugar, *servos de senhores incrédulos. – Todos os servos que estão debaixo de jugo considerem dignos de toda honra o próprio senhor, para que o nome de Deus e a doutrina não sejam blasfemados* (6.1). A conversão de um servo não muda sua posição social. Mesmo após sua conversão, o servo precisa considerar seu senhor, intimamente, no coração, e também externamente, através de sua postura, como uma pessoa digna de toda honra. Insurgir-se contra seu senhor como um escravo rebelde ou trabalhar de forma negligente é um desserviço ao evangelho e uma mancha no testemunho cristão. Warren Wiersbe aponta que, "ao rebelar-se contra seu senhor incrédulo, o escravo estaria desonrando o evangelho. O nome de Deus e a doutrina seriam blasfemados".[5]

Em segundo lugar, *servos de senhores cristãos*. — *Também os que têm senhor fiel não o tratem com desrespeito, porque é irmão; pelo contrário, trabalhem ainda mais, pois ele, que partilha do seu bom serviço, é crente e amado. Ensina e recomenda essas coisas* (6.2). Aproveitar-se do fato de que seu patrão é também seu irmão em Cristo para se rebelar contra ele ou ser negligente no trabalho é um péssimo testemunho. Paulo orienta que os servos de senhores crentes os tratem com honra e trabalhem com ainda mais denodo.

Os falsos mestres (6.3-5)

Esta carta inicia com um alerta sobre os falsos mestres e termina com mais uma advertência sobre a ação perniciosa desses arautos da mentira. John Stott diz que, em 1Timóteo 1.3-7, Paulo observa as especulações dos falsos mestres quanto à lei e, em 1Timóteo 4.1-5, a condenação feita por eles a coisas criadas por Deus. Agora, em 1Timóteo 6.3-5, ele os caracteriza como os que se desviam da sã doutrina, dividindo a igreja, motivados pela avareza.[6] Desta forma, Paulo avalia os falsos mestres em questões relativas à verdade, à unidade e à motivação.[7] Os falsos mestres são heterodoxos quantos à doutrina, divisionistas quanto à prática e gananciosos quanto à motivação.

Os falsos mestres podem ser identificados. Quais são suas características?

Em primeiro lugar, *os falsos mestres são governados pela mentira*. — *Se alguém ensina outra doutrina e não concorda com as sãs palavras de nosso Senhor Jesus Cristo e com o ensino segundo a piedade* (6.3). Os falsos mestres apartam-se da sã doutrina, abandonam a verdade e desviam-se da fé. Viram as costas para a ortodoxia. Os falsos mestres trocam o evangelho por outro evangelho. Trocam o genuíno pelo espúrio, o verdadeiro pelo falso, o pão nutritivo da verdade pelo caldo mortífero da mentira. Por discordarem da sã doutrina, ensinam suas perniciosas heresias.

John Stott está correto ao afirmar que existe um padrão na crença cristã, que neste capítulo ele chama de *ensino* (6.1,3b), *sã doutrina* (6.3), *verdade* (6.5), *fé* (6.10,12,21), *mandamento* (6.14) e *o que lhe foi confiado* (6.20).[8] Os falsos mestres discordam da doutrina que vem de Cristo e que promove a piedade, ensinando outra doutrina.

Em segundo lugar, *os falsos mestres são governados pelo orgulho. – É enfatuado, nada entende, mas tem mania por questões e contendas de palavras, de que nascem inveja, provocação, difamações, suspeitas malignas, altercações sem fim...* (6.4,5a). Por serem arrogantes e ignorantes, os falsos mestres promovem divisões. São como balões, cheios de vento, gordos de vaidade. Proclamam a si mesmos como os donos da verdade. Gostam de discutir. São obcecados por contendas de palavras. No entanto, são vazios, não entendem nada, são desprovidos da verdade e escravos da mentira.

De acordo com John Stott, discussões e disputas desse tipo não levam a nada, apenas acabam com os relacionamentos humanos. Cinco resultados são apresentados: *inveja* (ressentir-se por causa dos dons dos outros); *provocação* (cultivar espírito de rivalidade e contenda); *difamações* (espalhar mentiras acerca de outras pessoas); *suspeitas malignas* (esquecer-se de que a comunhão se constrói com a confiança, e não com a suspeita); *altercações sem fim* (o fruto da irritação).[9]

Em terceiro lugar, *os falsos mestres são governados pela ganância. – ... por homens cuja mente é pervertida e privados da verdade, supondo que a piedade é fonte de lucro* (6.5b). Os falsos mestres são homens depravados e mentirosos. Além do mais, o vetor que governa sua vida é o lucro. Eles não estão interessados na salvação das pessoas, mas no dinheiro que elas possuem. Fazem da religião um negócio. Distorcem o evangelho e fazem dele um artigo comercial. Transformam o templo numa praça de negócio. Usam o púlpito ou a mídia como um balcão, e os crentes como consumidores. Sua ganância insaciável governa suas motivações.

Ainda hoje, muitos obreiros inescrupulosos abrem igrejas como se fossem franquias. Essas empresas religiosas precisam dar lucro. Criam mecanismos sofisticados e sedutores para induzir os incautos a fazerem gordas ofertas, apenas com o intuito de propagar com mais celeridade suas falsas doutrinas e de viver confortavelmente no luxo e no fausto. Quão diferente era a atitude do apóstolo Paulo! Ele chegou até mesmo a recusar o sustento da igreja de Corinto para que ninguém o acusasse de ganância (1Co 9.15-19). Ele nunca mercadejou a Palavra de Deus (2Co 2.17). Nunca cobiçou de ninguém prata e ouro (At 20.33). Em momento algum, usou sua pregação com "intuitos gananciosos" (1Ts 2.5).

Na Idade Média, a venda das indulgências foi uma mácula na vida da igreja. Hoje, porém, muitas igrejas chamadas evangélicas estão desengavetando as indulgências com novas roupagens. Falsos evangelistas, movidos por mera ganância, apelam por "ofertas de amor" e fazem promessas de prosperidade àqueles que lhes dão robustas ofertas como "semente".[10]

John Stott está correto em sua interpretação ao dizer que Paulo nos oferece três testes para identificar um falso ensino. Esse ensino é compatível com a fé apostólica? Tem a característica de unir ou dividir a igreja? E promove a piedade com contentamento, ou pelo contrário promove a cobiça?[11] Se a mensagem pregada não está ancorada na doutrina dos apóstolos, se divide a igreja e estimula a cobiça, então esse é um falso ensino.

Os cristãos pobres (6.6-10)

Paulo ergue a voz para advertir sobre os perigos da ganância. Quatro fatos são apresentados.

Em primeiro lugar, *a riqueza não traz em sua bagagem a verdadeira felicidade*. – De fato, grande fonte de lucro é a piedade com o contentamento (6.6). O termo grego *autarkeia*, traduzido por "contentamento", significa uma suficiência interior que nos mantém em paz, a despeito das circunstâncias exteriores.[12] A palavra era um termo técnico na filosofia grega usado para indicar a independência do homem sábio com relação às circunstâncias de sua vida.[13]

Gould está certo ao dizer que o contentamento não vem quando todos os nossos desejos e caprichos são satisfeitos, mas quando restringimos nossos desejos às coisas essenciais.[14] Wiersbe tem toda a razão ao declarar: "O verdadeiro contentamento vem da piedade no coração, não do dinheiro na mão".[15] A felicidade não está no dinheiro, mas em Deus. O propósito da vida não está no *ter*, mas no *ser*. John Stott ressalta que o contentamento genuíno "não é a *autossuficiência*, mas a *Cristossuficiência*".[16] Nessa mesma linha de pensamento Carl Spain diz que essa autossuficiência está em Deus, e não no ego.[17] Hendriksen contribui ainda com esse pensamento acrescentando que o indivíduo verdadeiramente piedoso tem paz com Deus, gozo espiritual, segurança de salvação e convicção de que, para aqueles que amam a Deus, todas as coisas contribuem para o bem (Rm 8.28). Por isso, não sente necessidade de "muitos bens terrenos guardados para muitos anos", que não podem satisfazer a alma (Lc 12.19,20). Está contente com o que tem (Fp 4.10-13).[18]

A verdadeira riqueza não é o que você tem, mas quem você é. A grande fonte de lucro não é o dinheiro, mas a piedade com o contentamento. As livrarias estão cheias de livros nos ensinando como ficar ricos. Mas poucos livros nos ensinam que a verdadeira riqueza não é quanto dinheiro carregamos no bolso, mas quanta piedade temos no coração e quanto contentamento cultivamos na alma.

O livro de Provérbios diz que *uns se dizem ricos sem terem nada; outros se dizem pobres, sendo mui ricos* (Pv 13.7). Paulo afirma que ele *era pobre, mas enriquecia a muitos; nada tinha, mas possuía tudo* (2Co 6.10).

Ser rico não é a mesma coisa que ser feliz e contente. Não raro, os ricos são as pessoas que mais se suicidam. São as pessoas mais vazias. John Rockfeller, o primeiro bilionário do mundo, disse: "O homem mais pobre que conheço é aquele que só tem dinheiro". É claro que Paulo não está fazendo apologia da pobreza nem combatendo a riqueza. Paulo não censura a riqueza; ele combate a avareza. Não é pecado ser rico nem é virtude ser pobre. O que Paulo está dizendo é que o contentamento interior é um tesouro maior que a riqueza exterior.

Olavo Bilac retratou essa verdade espiritual num poema imortal à vida de Fernão Dias Paes Leme:

>Foi em março ao findar das chuvas...
>Sete anos! Combatendo índios, febres, paludes,
>Feras, répteis – contendo só sertanejos rudes,
>Dominando o furor da amotinada escoita...
>Sete anos! E ei-los, enfim, com o seu tesouro!
>Com que amor, contra o peito, a sacola de couro
>Aperta, a transbordar de pedras preciosas!... Volta...
>
>E o delírio começa. A mão, que a febre agita,
>Ergue-se, treme no ar, sobe, descamba aflita,
>Crispa os dedos, e sonda a terra e escarva o chão,
>Sangra as unhas, revolve as raízes, acerta,
>Agarra a sacola, e apalpa-a e contra o peito a aperta,
>Como para a enterrar dentro do coração.

Ah! Mísero demente! O teu tesouro é falso!
Tu caminhaste em vão, por sete anos, no encalço
De uma nuvem falaz, de um sonho malfazejo!
Enganou-te a ambição! Mais pobre que um mendigo.
Agonizas, sem luz, sem amor, sem amigo
Sem ter quem te conceda a extrema unção de um beijo.

Em segundo lugar, *a riqueza não dura para sempre.* – *Porque nada temos trazido para o mundo, nem coisa alguma podemos levar dele* (6.7). Entramos no mundo de mãos vazias e dele nos despediremos de mãos vazias. Não podemos levar para a eternidade a riqueza que acumularmos nesta vida. Não há caminhão de mudança em enterro nem gaveta em caixão. Entramos no mundo nus e saímos dele cobertos com uma mortalha sem bolso. John Stott diz que os bens são apenas a bagagem que levamos nessa viagem no tempo; não estarão na eternidade.[19] Gould afirma acertadamente que a nudez final da morte mostra e sublinha a nudez inicial do nascimento. Entre esses dois pontos da história, podemos juntar muito ou pouco, mas na hora final teremos de deixar tudo.[20]

O homem está destinado à eternidade, e o dinheiro é apenas temporal. A riqueza não é duradoura (Ec 5.14,15). Jó entendeu isso quando disse: *Nu saí do ventre de minha mãe e nu voltarei...* (Jó 1.21). Às vezes corremos desesperadamente atrás daquilo que não podemos acumular permanentemente. Passamos a vida atribulados, não tendo tempo para Deus, para a família, para nós mesmos e, quando morrermos, não poderemos levar nada.

Quando o primeiro bilionário do mundo, John Rockfeller, morreu, algumas pessoas perguntaram a seu contador no cemitério: "Quanto o dr. John Rockfeller deixou?". Ele respondeu: "Ele deixou tudo. Não levou nem sequer um centavo". Jesus contou uma parábola acerca de um homem rico que fez uma colheita colossal. Ele construiu novos celeiros e disse à sua alma: *Tens em depósito muitos bens para muitos anos; descansa, come, bebe e regala-te* (Lc 12.19) Então, Deus lhe disse: *Louco, esta noite te pedirão a tua alma; e o que tens preparado, para quem será?* (Lc 12.20).

Em terceiro lugar, *podemos viver satisfeitos com muito pouco.* – *Tendo sustento e com que nos vestir, estejamos contentes* (6.8). João Calvino explica que, quando Paulo menciona alimento e abrigo, exclui os luxos e o excesso de abundância; porque a natureza se conforma com pouco, e tudo o que vai além do uso natural é supérfluo.[21] Precisamos de muito pouco para vivermos contentes. Acumulamos muitas coisas em nossa bagagem, como se essas coisas pudessem nos fazer felizes. Comida, roupa e abrigo é o bastante para nosso contentamento. Wiersbe diz que estamos tão saturados de luxos que nos esquecemos de como desfrutar as coisas mais essenciais.[22] Concordo com John Stott quando ele diz que Paulo não está advogando a austeridade ou o ascetismo, mas o contentamento em lugar do materialismo e da cobiça.[23]

Você não precisa de muito dinheiro para ser feliz aqui e agora. Podemos viver com muito pouco. As pessoas mais felizes são aquelas que voltam para casa cheirando graxa. Um prato de hortaliças é melhor do que um banquete onde há contenda. A Palavra de Deus diz: *Melhor é o pouco, havendo o temor do S*ENHOR*, do que grande tesouro onde há inquietação* (Pv 15.16). A riqueza de um homem é diretamente proporcional ao número de coisas sem as quais ele é capaz de viver. Nunca vi uma família unida em torno do dinheiro. As famílias que mais brigam são aquelas que mais têm. O dinheiro divide, separa. O dinheiro não tem liga. Muitas famílias vivem em pé de guerra por causa da distribuição da herança. Os pais trabalham desesperadamente para juntar dinheiro. Não têm tempo para os filhos e, depois que morrem, o dinheiro que acumularam torna-se motivo de brigas e contendas para os filhos.

É tolice pensar que, se morar nunca casa mais bonita ou tiver um carro mais novo ou usar roupas de grife, você será mais feliz. Não estou dizendo que você não deve ter alvos financeiros nem deve estudar mais, trabalhar mais e ser mais sábio na aplicação do dinheiro para melhorar sua condição de vida. Estou dizendo que a felicidade não está nas coisas, está em Deus.

Em quarto lugar, *o desejo de ficar rico é uma armadilha que conduz ao pecado*. Paulo passa dos pobres contentes para os pobres ambiciosos, que *querem ficar ricos* (6.9) e são movidos pelo *amor ao dinheiro* (6.10). A riqueza não é uma maldição em si nem a pobreza uma bênção em si. Ser rico não é pecado nem ser pobre é uma virtude. O que a Palavra de Deus ensina é a piedade com contentamento, e o que a Palavra de Deus proíbe é a ambição de ficar rico, colocando o dinheiro em primeiro lugar. Jesus foi categórico em afirmar que a vida de um homem não consiste na abundância de bens que ele possui (Lc 12.15).

A riqueza como fruto do trabalho e da providência divina é uma bênção. É Deus quem nos dá força para adquirirmos riqueza. A bênção do Senhor enriquece e com ela não traz desgosto. Há muitas pessoas ricas e piedosas. O problema não é termos dinheiro, mas o dinheiro nos ter. O problema não é ter dinheiro no bolso, mas tê-lo no coração. O dinheiro é um bom servo, mas um péssimo patrão.

O desejo por riqueza pode destruir você. Aqueles que querem ficar ricos são dominados por um imoderado desejo de ajuntar coisas materiais. Esses que fazem da riqueza o sentido da vida, o vetor da sua existência, enfrentam seis grandes problemas.

Primeiro, o ambicioso caminha por uma estrada escorregadia. – Ora os que querem ficar ricos caem em tentação, e cilada... (6.9a). João Calvino aponta que a causa dos males enumerados pelo apóstolo não são as riquezas, mas um imoderado desejo de tê-las, mesmo quando a pessoa é pobre.[24] Concordo com Hendriksen quando ele diz que o pecado nunca anda só. A pessoa que cobiça riquezas geralmente também anela honra, popularidade, poder, comodidade, satisfação dos desejos da carne.[25] O desejo de ficar rico leva o indivíduo a muitas tentações e armadilhas. Para alcançar o propósito insaciável de ficar rico, muitos negociam princípios, transigem com a consciência, relativizam valores absolutos, sonegam, mentem, roubam, corrompem e são corrompidos.

Muitos vendem a alma para o diabo a fim de alcançar riquezas e acumular fortunas. O filme *O advogado do diabo* retrata essa dramática realidade. Que tentação é essa que o desejo da riqueza produz? Esse desejo leva o indivíduo a quebrar os dois principais mandamentos da lei de Deus. Ele deixa de amar a Deus e ao próximo. Que ciladas esse desejo coloca diante da pessoa? A insatisfação permanente! A Bíblia anuncia: *Quem ama o dinheiro jamais dele se farta; e quem ama a abundância nunca se farta da renda* (Ec 5.10).

Segundo, o ambicioso é dominado por desejos tolos e destruidores. – ... e em muitas concupiscências insensatas e perniciosas... (6.9b). A cobiça é um desejo insaciável que gera outros desejos. Um indivíduo que tem como alvo de vida ficar rico passa a ter desejos insensatos, irracionais e também perniciosos, ou seja, que escravizam e degradam. A cobiça é como a água do mar: quanto mais se bebe, mais sede se sente.[26] O desejo de ficar rico é um terreno escorregadio que empurra o indivíduo para outros desejos loucos e perigosos, como o sexo e o poder. O desejo de ficar rico engana as pessoas, pois, em vez de dar liberdade, escraviza. Em vez de saciar, cria outros desejos a serem satisfeitos. Muitas paixões carnais, muitas tramas de infidelidade conjugal, muitos esquemas de corrupção são urdidos nesse laboratório da ganância insaciável.

Terceiro, o ambicioso mergulha sua vida na ruína e destruição.
– *... as quais afogam os homens na ruína e perdição* (6.9c). Com o uso da palavra *afogam,* Paulo muda a figura de cilada ou armadilha para os perigos do mar.[27] A ideia do texto é que uma pessoa amante do dinheiro acaba submergindo e afundando como alguém que é jogado ao mar. Essas pessoas sofrem uma perda irrecuperável e acabam sendo destruídas. Aqueles que cobiçam riquezas, mesmo que as alcancem, não encontram nelas prazer. Na busca da riqueza, perdem a paz, a integridade, a vida e a própria alma. Jesus acentua esse ponto quando pergunta: *O que adianta ao homem ganhar o mundo inteiro e perder a sua alma?* (Mc 8.36).

O ambicioso cai nas malhas da ruína temporal e da perdição eterna. Essa busca desenfreada pelo lucro ilícito, essa ânsia pela riqueza, destrói a vida aqui e agora, produzindo medo, ansiedade, insatisfação no coração humano. E o fim dessa linha é a perdição eterna, o inferno, o lago de fogo, o choro e o ranger de dentes. Por trás do brilho fascinante das riquezas, podem estar as trevas espessas da condenação eterna.

Quarto, o ambicioso coloca as coisas acima de Deus e das pessoas. – *Porque o amor do dinheiro é raiz de todos os males...* (6.10a). O termo grego *philarguria,* traduzido por *amor ao dinheiro,* só aparece aqui em todo o Novo Testamento. Paulo diz que o amor ao dinheiro é a fonte de todos os males. O amor ao dinheiro é a *high-way,* a estrada principal que conduz a todas as outras que desembocam na ruína.

É preciso destacar que o dinheiro não é raiz de todos os males. O dinheiro em si é uma bênção. Com ele suprimos nossas necessidades e servimos ao próximo. Com ele ajudamos os necessitados e cooperamos com a expansão do reino de Deus. O problema não é o dinheiro, mas o amor ao dinheiro. O problema não é a riqueza, mas o desejo da riqueza. O problema não é ter dinheiro no bolso, mas ter o dinheiro no coração. O problema não é possuirmos riquezas, mas as riquezas nos possuírem. John Stott diz com razão que a cobiça se acha por trás dos casamentos por conveniência, das perversões da justiça, do tráfico de drogas, do comércio de pornografia, das chantagens, da exploração dos fracos, da negligência às boas causas e da traição aos amigos. Vivemos numa sociedade que se esquece de Deus, ama as coisas e usa as pessoas, quando deveríamos adorar a Deus, amar as pessoas e usar as coisas.

Quinto, o ambicioso desvia-se da fé. – *... e alguns, nessa cobiça, se desviaram da fé...* (6.10b). Ninguém pode amar a Deus e ao dinheiro ao mesmo tempo, pois onde estiver o seu tesouro, aí estará também o seu coração. Há indivíduos que vendem a consciência e apostatam da fé por causa da cobiça. Amam o prêmio da iniquidade como Balaão. Cobiçam bens materiais como Acã. Traem o Senhor como Judas Iscariotes. O amor ao dinheiro leva o homem à apostasia. Uma pessoa que ama o dinheiro transforma uma bênção num ídolo. Substitui o doador pela dádiva. Adora a criatura em lugar do Criador.

Sexto, o ambicioso flagela a si mesmo com muitas dores. – *... e a si mesmos se atormentam com muitas dores* (6.10c). O ambicioso atormenta a si mesmo. O homem que ama o dinheiro é um masoquista. Torna-se seu próprio algoz. Sua cobiça é um chicote impiedoso que o flagela com rigor desmesurado. Isso inclui preocupação, remorso e angústias de uma consciência culpada.[28] Um homem rico disse-me certa feita que os endinheirados têm pelo menos dois problemas: o primeiro é o desejo de ganhar, ganhar, ganhar. O segundo é o medo de perder, perder, perder. O rico passa a vida inteira atormentando-se com esses dois flagelos. Concluo com as palavras de Stott: "Paulo não está a favor da pobreza contra a riqueza, mas a favor do contentamento contra a cobiça".[29]

O comportamento exemplar do pastor (6.11-16)

Se os falsos mestres eram dominados pela cobiça e escravos da ganância, Timóteo, como homem de Deus e pastor da igreja, deveria fugir desse caminho sinuoso. As palavras *Tu, porém* (6.11) indicam um contraste entre Timóteo e os falsos mestres. John Stott realça que Paulo faz três apelos a Timóteo: 1) o apelo ético, ou seja, fugir do mal e buscar a piedade (6.11); 2) o apelo doutrinário, ou seja, deixar o erro e lutar pela verdade (6.12a); e 3) o apelo à apropriação, ou seja, apropriar-se da vida eterna que ele já havia recebido (6.12b). Esses três apelos são colocados num saudável equilíbrio. Há quem lute pela verdade, mas negligencie a piedade. Outros buscam a santidade, mas não se preocupam com a verdade. Outros, ainda, desprezam tanto a doutrina quanto a ética em sua busca por experiências religiosas.[30]

Nos versículos 11 a 16, Paulo mostra de que maneira podemos viver como cristãos, em vez de sermos amantes do dinheiro. Cinco ordens são dadas pelo apóstolo.

Em primeiro lugar, *o pastor precisa fugir da ganância. – Tu, porém, ó homem de Deus, foge destas coisas...* (6.11a). Quando Paulo diz *Foge destas coisas*, está querendo dizer: Fuja do orgulho, da vaidade e da avareza dos falsos mestres. Em lugar de servir-se da religião para locupletar-se, Timóteo deve ter uma conduta agradável a Deus e, assim, alcançar a genuína piedade.[31] Lobos e pastores gostam de ovelhas. O lobo gosta de devorar as ovelhas, enquanto os pastores gostam de apascentar as ovelhas. Os falsos mestres andam atrás dos bens das pessoas; o pastor cuida da alma delas. O pastor precisa fugir dessa sedução do desejo de ficar rico. Precisa apartar-se dessa ganância pecaminosa.

Concordo com Warren Wiersbe quando ele diz que há ocasiões em que fugir é sinal de covardia. *Homem como eu fugiria?*, perguntou Neemias (Ne 6.11). Mas, em outras ocasiões, fugir é um sinal de sabedoria e um meio de alcançar a vitória. José fugiu quando foi tentado pela mulher de seu senhor (Gn 39.12). Davi fugiu quando o rei Saul tentou matá-lo (1Sm 19.10).[32] É sábio o conselho: nem toda união é boa e nem toda divisão é ruim. Há ocasiões em que o servo de Deus deve posicionar-se com respeito a falsas doutrinas e práticas ímpias e se separar de tais coisas.[33]

Se você costuma pensar: "Ah, se eu tivesse isso ou aquilo, se eu tivesse uma casa melhor, se eu tivesse um carro mais novo, eu seria mais feliz...", FUJA! Se você se encontrar olhando para a prosperidade do ímpio e dizendo: "Ah, se eu tivesse o que ele tem, eu seria mais feliz...", FUJA! Se, ao vir uma propaganda, você imagina: "Ah se eu pudesse comprar esse produto, eu seria mais feliz...", FUJA! Sua felicidade não está nas coisas, mas em Deus.

Em segundo lugar, *o pastor precisa seguir as virtudes cristãs. – ... antes, segue a justiça, a piedade, a fé, o amor, a constância, a mansidão* (6.11b). Ao mesmo tempo que Timóteo deve fugir de algumas coisas, deve seguir outras. Um homem feliz é conhecido por aquilo que ele segue. Não basta separar-se do que é errado; é preciso seguir o que é certo.

Há seis virtudes que precisamos buscar mais que o ouro e a prata. Cada uma delas deve ornar sua vida e equipá-lo para o ministério.

Primeiro, a justiça: significa integridade pessoal. Está relacionada com caráter. Hendriksen diz que a justiça aqui é o estado de coração e mente que está em harmonia com a lei de Deus e que conduzirá a pessoa à piedade.[34]

Segundo, a piedade: significa devoção prática. Está relacionada com conduta.

Terceiro, a fé: pode ser traduzida por "fidelidade".

Quarto, o amor: é a atitude de sacrificar-se pelos outros em vez de explorar os outros.

Quinto, a constância: dá a ideia de "perseverança", de permanecer firme, mesmo diante das dificuldades. É coragem que prossegue em meio à adversidade.

Sexto, a mansidão: é poder sob controle.

Em terceiro lugar, *o pastor precisa combater o bom combate da fé.* – *Combate o bom combate da fé...* (6.12a). A palavra grega para "combater" é um termo do atletismo que dá origem a nosso verbo *agonizar* e se aplica tanto a atletas quanto a soldados. Era a luta agonizante requerida, caso a pessoa quisesse vencer uma partida de luta romana. Todo cristão é chamado a batalhar a luta pessoal contra o mal em todas as suas formas. Portanto, é digno de nota que o verbo "combater" está no imperativo presente, indicando que a luta é um processo contínuo.[35] Devemos pôr toda a nossa energia em andar com Deus e realizar sua obra. Devemos aplicar toda a nossa força numa causa de consequências eternas.

Em quarto lugar, *o pastor precisa tomar posse da vida eterna.* – *... toma posse da vida eterna, para a qual também foste chamado e de que fizeste a boa confissão perante muitas testemunhas* (6.12b). O verbo "tomar posse" está no imperativo aoristo, sugerindo que Timóteo deveria tomar posse da vida eterna imediatamente, em um único ato, e de forma definitiva. Um cristão é conhecido por aquilo de que ele se apropria como maior tesouro de sua vida. Paulo diz a Timóteo: Você já tem a vida eterna. Toma posse dela. Usufrua-a. Tudo ao seu redor é temporal e um dia vai acabar. Mas você já tem a vida eterna. Você vive para a eternidade. Você tem uma riqueza e uma herança que nem ferrugem, nem traça, nem ladrão pode roubar. Viva à luz da eternidade! Tome posse da sua verdadeira felicidade. Concordo com Hendriksen quando ele diz que a vida eterna pertence à era futura, à esfera da glória, mas em princípio chega a ser possessão do crente já, aqui e agora.[36]

Em quinto lugar, *o pastor precisa guardar seu mandato imaculado até a volta de Jesus*. Vejamos o que diz o apóstolo:

> Exorto-te, perante Deus, que preserva a vida de todas as coisas, e perante Cristo Jesus, que, diante de Pôncio Pilatos, fez a boa confissão, que guardes o mandamento imaculado, irrepreensível, até à manifestação de nosso Senhor Jesus Cristo; a qual, em suas épocas determinadas, há de ser revelada pelo bendito e único Soberano, o Rei dos reis e Senhor dos senhores; o único que possui imortalidade, que habita em luz inacessível, a quem homem algum jamais viu, nem é capaz de ver. A ele honra e poder eterno. Amém! (6.13-16)

Alguns pontos devem ser aqui destacados:

Primeiro, a exortação é feita diante de Deus e de Cristo Jesus (6.13a). A seriedade da exortação de Paulo é assaz solene. Ele exorta Timóteo perante o Deus da providência, que preserva a vida de todas as coisas, e perante Cristo Jesus, que fez a boa confissão diante de Pilatos. A testemunha da verdade, que se depara com a morte, deve ter diante dos seus olhos aquele que gera e preserva a vida de tudo, para que não tema aqueles que somente podem matar o corpo e não têm poder sobre o ser humano como um todo e sobre seu destino eterno.[37]

Segundo, o exemplo de Cristo inspira o pastor a guardar o mandamento imaculado (6.13b). Assim como Jesus fez a boa confissão diante de Pilatos, Timóteo deve guardar imaculado o mandato. O exemplo de Cristo, mesmo em face da morte, deve inspirar Timóteo a ser firme e zeloso em seu ministério. Matthew Henry destaca com razão que Cristo morreu não apenas como sacrifício, mas também como mártir; e fez a boa confissão quando foi chamado a juízo diante de Pilatos, declarando: *O meu reino não é deste mundo: Eu vim a fim de dar testemunho da verdade* (Jo 18.36,37). Essa boa confissão de Jesus diante de Pilatos deveria ser eficaz para afastar do amor pelo mundo todos os seus seguidores, seus ministros e seu povo.[38]

Terceiro o pastor precisa manter-se fiel até a volta de Jesus (6.14,15). A fidelidade do pastor precisa ser firme e permanente. Muitos começam com fé, mas não terminam a carreira. Não basta começar bem; é preciso terminar bem. Timóteo deve guardar o mandato imaculado e irrepreensível até a aparição de Cristo Jesus. O mandato deve ser entendido como a instrução apostólica da carta.

Quarto, o pastor precisa viver na perspectiva da majestade de seu Senhor (6.16). A solene exortação se converte agora na música de uma gloriosa doxologia.[39] Paulo conclui sua exortação a Timóteo com uma exaltação ao soberano Deus, uma das mais belas doxologias registradas nas Escrituras. O Cristo que se manifestará é o Soberano, Rei dos reis e Senhor dos senhores.

O Deus invisível dar-se-á a conhecer na manifestação do Senhor Jesus Cristo, porque quem vê Jesus, vê o Pai. A glória do Pai, o Deus bendito, finalmente levará à glorificação de seus filhos no Filho. Ao contrário dos muitos pequenos e grandes poderosos terrenos, Deus é o único Soberano. Deus, o único poderoso, derruba autoridades dos tronos. Deus é o Rei daqueles que reinam, o Senhor daqueles que exercem domínio.[40]

Deus tem vida em si mesmo e, por isso, é o único que possui imortalidade e habita em luz inacessível. A imortalidade do ser humano não é um potencial inerente a ele. Somente o Deus vivo possui imortalidade singular. Somente Deus é a fonte inesgotável da vida. Deus habita em luz inacessível, pois é transcendente. Sua glória excede toda compreensão humana. Nem mesmo o ser humano glorificado poderá esgotar eternamente o conhecimento de Deus. O Deus inesgotável jamais será conhecido, amado e glorificado até o fim por suas criaturas. Seu poder é ilimitado tanto no tempo quanto na eternidade.[41] Portanto, a ele honra e poder eternos!

Os cristãos ricos (6.17-19)

Paulo agora não se dirige aos que desejam ficar ricos (6.9), mas aos que já são ricos (6.17). O ensino do apóstolo é claro em demonstrar que o amor ao dinheiro é raiz de todos os males, mas a riqueza é uma bênção. Não é pecado ser rico, nem é virtude ser pobre. A riqueza adquirida com o trabalho honesto e com a bênção de Deus é uma oportunidade para servir ao próximo.

Destacamos aqui algumas verdades importantes.

Em primeiro lugar, *os ricos devem ser despojados de soberba.* – *Exorta aos ricos do presente século que não sejam orgulhosos...* (6.17a). A Palavra de Deus nunca condenou uma pessoa por ser rica, mas por colocar sua confiança nas riquezas e deixar de usá-las para a glória de Deus e para o bem do próximo. A posse do dinheiro pode levar alguém a ser orgulhoso e soberbo. O indivíduo pode pensar que é rico por ser mais competente, mais inteligente, melhor que os outros ou até mesmo mais amado por Deus. A pessoa pode ficar soberba porque tem muitas propriedades, porque conseguiu construir um colossal patrimônio. A soberba, porém, é a antessala da ruína. Um rico soberbo não compreendeu nem a vulnerabilidade da vida nem a instabilidade das riquezas.

Em segundo lugar, *os ricos devem confiar em Deus, e não no dinheiro.* – *... nem depositem a sua esperança na instabilidade* *da riqueza, mas em Deus...* (6.17b). Confiar na instabilidade da riqueza é a mesma coisa que edificar sua casa na areia. Hoje há muitas pessoas desesperadas. Até ontem estavam confiantes de terem feito os melhores investimentos. Agora, seus investimentos deram para trás. Aquela aplicação antes tão sólida de repente se torna vulnerável. Muitas pessoas perderam seus bens do dia para a noite. A Bíblia diz: *Porventura fitarás os teus olhos naquilo que é nada? Pois certamente a riqueza fará para si asas, como a águia que voa pelos céus* (Pv 23.5). Confiar no dinheiro é uma insanidade.

Em seu livro *Satisfaction*, Joseph Aldrich narra uma história dramática. Suponhamos que você tivesse chegado ao topo, com dez dos mais bem-sucedidos empresários do mundo que se reuniram no *Edgewater Beach* Hotel de Chicago em 1923. À guisa de ilustração, imagine-se invisível: o número 11 dessa reunião histórica. Você está ao lado de gigantes do mundo dos negócios. Olhando à sua volta, você vê naquele elegante salão: o presidente de uma grande companhia de aço; 2) o presidente do *National City Bank*; 3) o presidente de uma grande companhia de aparelhos elétricos; 4) o presidente de uma companhia de gás; 5) o presidente do *New York Stock Exchange*; 6) um grande especulador de trigo; 7) um membro do gabinete do presidente; 8) o diretor do maior monopólio do mundo; 9) o líder de *Wall Street*; 10) o presidente do *Bank of International Settlement...* e você!

A conversa casual gira em torno de iates, férias exóticas, casas, propriedades, clubes e assombrosas transações financeiras. Esses homens encontraram o mapa do tesouro! São donos do mundo! Eles não precisam procurar coisa alguma. Têm tudo e muito mais.

O que aconteceu com esses dez homens que chegaram ao topo da carreira, vinte e cinco anos mais tarde? O presidente da companhia de aparelhos elétricos morreu como fugitivo da Justiça, sem dinheiro e em terra estrangeira. O presidente da companhia de gás ficou completamente louco. O presidente do *New York Stock Exchange* foi solto da penitenciária de Sing-Sing. O membro do gabinete do presidente teve sua pena comutada para que pudesse morrer em casa. O grande especulador de trigo morreu no exterior, falido. O líder de *Wall Street* suicidou-se. O diretor do maior monopólio do mundo morreu... também por suicídio. O presidente do *Bank of International Settlement* teve o mesmo fim: suicidou-se. Todos esses dados são verídicos. Irônico, não? Jesus disse: *A vida de um homem não consiste na abundância de bens que ele possui* (Lc 12.15).

Em terceiro lugar, *os ricos devem desfrutar daquilo que Deus lhes dá.* – ... *mas em Deus, que tudo nos proporciona ricamente para nosso aprazimento* (6.17c). O dinheiro não pode lhe dar segurança, porque não pode oferecer as coisas mais importantes da vida. O dinheiro pode lhe dar roupas bonitas, mas não beleza. Pode lhe dar prazeres, mas não paz. Pode lhe dar aventuras, mas não felicidade. Pode lhe dar um carro blindado e seguranças, mas não proteção real. Pode lhe dar uma casa, mas não uma família. Pode lhe dar remédios, mas não saúde. Pode lhe dar bajuladores, mas não amigos. Pode lhe dar gratificação sexual, mas não amor. Pode lhe dar um rico funeral, mas não vida eterna.

A felicidade que o ser humano procura no dinheiro, ele só pode encontrar em Deus. Ele tudo nos proporciona ricamente para nosso aprazimento. Durante muitos anos, escutei dentro da igreja que o projeto de Deus é nos fazer santos, e não felizes. Mas descobri que os teólogos de Westminster compreenderam corretamente essa questão quando disseram que o fim principal do homem é glorificar a Deus e desfrutar dele para sempre. John Piper está correto ao declarar que o nosso problema não está em buscarmos a felicidade ou o prazer, mas em nos contentar com um prazer pequeno demais, terreno demais, limitado demais. Deus nos criou e nos salvou para o maior de todos os prazeres: conhecê-lo, amá-lo, glorificá-lo e fruí-lo por toda a eternidade. Na presença de Deus, há plenitude de alegria e, na sua destra, há delícias perpétuas. A alegria que muitos buscam no dinheiro, só Deus pode conceder. Ele tudo nos proporciona ricamente para nosso aprazimento, para nossa felicidade. Ele nos deu um corpo maravilhoso, nos deu a visão, o paladar. Ele nos deu a família, a salvação, a igreja.

Em quarto lugar, *os ricos devem dar daquilo que recebem de Deus. – Que pratiquem o bem, sejam ricos de boas obras, generoso em dar e prontos em repartir* (6.18). Deus nos dá com abundância, não para acumularmos, mas para repartimos. Rick Warren diz que você combate a concupiscência dos olhos com integridade; combate a concupiscência da carne com generosidade; e combate a soberba da vida com humildade. É conhecido o triplo conselho de João Wesley: "Ganhem tudo o que puderem, economizem tudo o que puderem e deem tudo o que puderem".[42]

Os reformadores ensinavam sobre a questão do ministério do pobre e o ministério do rico. Deus nos dá com sobra não para acumularmos, mas para repartirmos. Sempre somos ricos em relação a alguém. Sempre estamos na condição de ajudar alguém. Devemos ser ricos de boas obras. Devemos ser generosos em dar. Devemos estar prontos a repartir.

Concordo com as palavras de Jim Elliot, o mártir do cristianismo no Equador: "Não é tolo aquele que dá o que não pode reter, para ganhar o que não pode perder".

O dinheiro é uma semente. A semente que se multiplica não é a que comemos, mas a que semeamos. Quando semeamos na vida de alguém, Deus multiplica a nossa sementeira. Quem semeia pouco, pouco ceifará; mas quem semeia com fartura, com abundância ceifará (2Co 9.6).

Em quinto lugar, *os ricos devem fazer investimentos para a eternidade.* – *Que acumulem para si mesmos tesouros, sólido fundamento para o futuro, a fim de se apoderarem da verdadeira vida* (6.19). Jesus disse que devemos ajuntar tesouros lá no céu, onde os ladrões, a traça e a ferrugem não podem destruí-los. A bolsa de valores do céu jamais entra em colapso. As riquezas espirituais jamais podem ser roubadas. A Bíblia diz que onde estiver o seu tesouro, aí estará o seu coração. Devemos buscar as coisas lá do alto. Devemos buscar em primeiro lugar o reino de Deus e a sua justiça. Devemos buscar tesouros que sejam um sólido fundamento. Devemos nos apoderar da verdadeira vida.

O homem que só pensava em seus banquetes e em suas vestes, e deixou Lázaro faminto e chagado à sua porta, morreu sem ajuntar tesouros no céu. Morreu e foi para o inferno, onde acabou atormentado nas chamas e não recebeu nem mesmo o alívio de uma gota de água.

O homem que se preparou apenas para esta vida e não fez nenhuma provisão para a sua alma foi chamado de louco.

Aquele que ajunta tesouros apenas nesta vida descobrirá que no dia em que sua casa cair, no dia em que estiver atravessando a ponte que liga o tempo à eternidade, o dinheiro não poderá ajudá-lo a se apoderar da verdadeira vida.

O apelo final (6.20,21)

Kelly diz que, neste breve final, o apóstolo Paulo reúne numa só frase toda a sua solicitude para com a integridade do evangelho e todo o seu horror para com o desvio desse caminho.[43]

George Barlow, analisando os versículos em apreço, destaca duas verdades.[44]

Em primeiro lugar, *o evangelho deve ser preservado de modo inviolável. – E tu, ó Timóteo, guarda o que te foi confiado...* (6.20a). O evangelho não deve ser guardado no sentido de ser ocultado, mas de ser mantido intacto, íntegro, incontaminado e transmitido com fidelidade (2Tm 2.2). A palavra grega *paratheke*, traduzida por *confiado*, significa literalmente "depósito". Barclay diz que essa palavra descrevia o dinheiro depositado em um banco ou nas mãos de um amigo. Quando se pedia o dinheiro de volta, era dever sagrado entregá-lo em sua totalidade.[45] A fé cristã foi colocada nas mãos de Timóteo. Ele recebeu esse depósito e precisa transmiti-lo com fidelidade. Timóteo deve entregar o que recebeu, e não o que inventou. Deve transmitir o que recebeu, e não o que criou.

O pregador não gera a mensagem; ele transmite a mensagem. Ele não é o dono da mensagem; é o servo da mensagem. O pregador é um despenseiro de Deus, e o que se requer do despenseiro é fidelidade. Ele não pode sonegar ao povo o evangelho que Deus a ele confiou nem acrescentar coisa alguma ao evangelho por ele recebido.

Em segundo lugar, *o evangelho não pode ser degradado com controvérsias ignorantes. – ... evitando os falatórios inúteis e profanos e as contradições do saber, como falsamente lhe chamam, pois alguns, professando-o, se desviaram da fé...* (6.2b,21a). Da mesma forma que os hereges se afastam da verdade, o pastor deve afastar-se da heresia. O evangelho é a verdade de Deus para ser crida, e não para ser criticada. O evangelho não é a infância da razão, mas o guia e o regulador da razão. O evangelho não é contrário à razão, embora esteja acima dela. Timóteo não pode envolver-se com falatórios inúteis e profanos e com as contradições do saber, pois os que assim procedem desviam-se da fé; antes, ele deve manter-se firme e fiel na pregação do evangelho que lhe foi confiado.

Paulo conclui sua carta com uma breve bênção: *A graça seja convosco* (6.21b). A graça de Cristo é a base da salvação, o conteúdo do evangelho, a bênção mais excelente concedida aos filhos de Deus. É o favor de Deus em Cristo para quem não merece, transformando-lhe o coração e a vida para conduzi-lo à glória.[46] A graça é o início e o portal da glória, pois a graça desemboca na glória. Aqueles que recebem graça agora desfrutarão da glória amanhã.

Concluo com as palavras oportunas de Hans Bürki: é unicamente no poder dessa graça que Timóteo e a igreja são capazes de resistir os hereges, afastar-se de sua influência e viver na verdadeira beatitude. Em última análise, nem Paulo nem Timóteo conseguem proteger a si mesmos ou à igreja de descaminhos. Unicamente a graça de Deus é capaz disso. A graça é suficiente. Ela nos basta!

NOTAS DO CAPÍTULO 7

[1] GOULD, J. Glenn. *As epístolas pastorais*, p. 494.
[2] HENDRIKSEN, Guillermo. *1 y 2 Timoteo y Tito*, p. 218.
[3] STOTT, John. *A mensagem de 1 Timóteo, Tito e Filemom*, p. 144.
[4] ERDMAN, Charles. *Las epístolas pastorales a Timoteo y a Tito*. 1976, p. 76.
[5] WIERSBE, Warren W. *Comentário bíblico expositivo*, p. 304.
[6] STOTT, John. *A mensagem de 1 Timóteo, Tito e Filemom*, p. 148.
[7] Ibid., p. 149.
[8] Ibid.
[9] Ibid., p. 150.
[10] STOTT, John. *A mensagem de 1 Timóteo, Tito e Filemom*, p. 151.
[11] Ibid, p. 151.

[12] WIERSBE, Warren W. *Comentário bíblico expositivo*, p. 305.
[13] RIENECKER, Fritz; ROGERS, Cleon. *Chave linguística do Novo Testamento grego*, p. 469.
[14] GOULD, J. Glenn. *As epístolas pastorais*, p. 496.
[15] WIERSBE, Warren W. *Comentário bíblico expositivo*, p. 306.
[16] STOTT, John. *A mensagem de 1 Timóteo, Tito e Filemom*, p. 152.
[17] SPAIN, Carl. *Epístolas de Paulo a Timóteo e Tito*, p. 107.
[18] HENDRIKSEN, Guillermo. *1 y 2 Timoteo y Tito*, p. 225.
[19] STOTT, John. *A mensagem de 1 Timóteo, Tito e Filemom*, p. 153.
[20] GOULD, J. Glenn. *As epístolas pastorais*, p. 496.
[21] CALVINO, Juan. *Comentarios a las epístolas pastorales de San Pablo*, p. 186.
[22] WIERSBE, Warren W. *Comentário bíblico expositivo*. Vol. 6. 2006, p. 306.
[23] STOTT, John. *A mensagem de 1 Timóteo, Tito e Filemom*, p. 153
[24] CALVINO, Juan. *Comentarios a las epístolas pastorales de San Pablo*. 1968, p. 186.
[25] HENDRIKSEN, Guillermo. *1 y 2 Timoteo y Tito*, p. 227.
[26] STOTT, John. *A mensagem de 1 Timóteo, Tito e Filemom*, p. 155.
[27] SPAIN, Carl. *Epístolas de Paulo a Timóteo e Tito*, p. 108.
[28] STOTT, John. *A mensagem de 1 Timóteo, Tito e Filemom*, p. 156.
[29] Ibid., p. 157.
[30] Ibid., p. 161.
[31] ERDMAN, Charles. *Las epístolas pastorales a Timoteo y a Tito*, p. 82.
[32] WIERSBE, Warren W. *Comentário bíblico expositivo*. Vol. 6. 2006, p. 306-307.
[33] IBID., p. 307.
[34] HENDRIKSEN, Guillermo. *1 y 2 Timoteo y Tito*, p. 230.
[35] GOULD, J. Glenn. *As epístolas pastorais*, p. 498.
[36] HENDRIKSEN, Guillermo. *1 y 2 Timoteo y Tito*, p. 232.
[37] BÜRKI, Hans. "Cartas a Timóteo." In: *Cartas aos Tessalonicenses, Timóteo, Tito e Filemom*, p. 280.
[38] HENRY, Matthew. *Comentário bíblico Matthew Henry: Atos a Apocalipse*, p. 703.
[39] ERDMAN, Charles. *Las epístolas pastorales a Timoteo y a Tito*, p. 84.
[40] BÜRKI, Hans. "Cartas a Timóteo." In: *Cartas aos Tessalonicenses, Timóteo, Tito e Filemom*, p. 281.
[41] Ibid., p. 281-282.
[42] GOULD, J. Glenn. *As epístolas pastorais*, p. 500.
[43] KELLY, John N. D. *I e II Timóteo e Tito: introdução e comentário*, p. 140.
[44] BARLOW, George. *The Preacher's Complete Homiletic Commentary.* Vol. 29. Grand Rapids: Baker Books, 1995, p. 51.
[45] BARCLAY, William. *I y II Timoteo, Tito y Filemon*, p. 149.
[46] HENDRIKSEN, Guillermo. *1 y 2 Timoteo y Tito*, p. 242.

Sua opinião é importante para nós. Por gentileza, envie seus comentários pelo e-mail **editorial@hagnos.com.br**

Visite nosso site:
www.hagnos.com.br

Esta obra foi impressa na Imprensa da Fé.
São Paulo, Brasil.
Outono de 2021.